EVA, DE VRIENDIN VAN MIJN VRIEND

Eva,

de vriendin van mijn vriend

MARIO DEMESMAEKER

DE EENHOORN

Opgedragen aan Joëlle, voor haar steun, geloof en
liefde, en aan Robin, voor de afleiding en inspiratie.
M.D.

CIP-gegevens: Koninklijke Bibliotheek Albert I
© Tekst: Mario Demesmaeker
Omslagontwerp: quod. voor de vorm
Druk: Oranje, Sint-Baafs-Vijve

© 2011 Uitgeverij De Eenhoorn bvba, Vlasstraat 17, B-8710 Wielsbeke

D/2011/6048/23
NUR 284
ISBN 978-90-5838-702-8

www.eenhoorn.be

1.

'Mooi hoedje,' mompel ik.

Mijn hoofd wordt waarschijnlijk even roze als het grape-fruitsap in mijn glas. Ik durf het meisje naast mij aan het sapjesbuffet amper aan te kijken.

Er zijn betere openingszinnen te bedenken en ik ben blij dat ze niet meteen wegloopt.

Ik ben niet het type dat met een splijtende zin een meid in-pakt. David, die kan dat wel. Soms wou ik dat ik David was.

'Mooi slipje,' antwoordt het meisje breed lachend. Ik voel mijn wangen gloeien, want ik begrijp precies wat ze be-doelt.

Ik voel weer de sliding, het been van mijn tegenstander. Een genadeloze zeis, die mijn benen als slappe grassprieten van onder mijn lijf wegmaait. Ik smak tegen de grond en schuif meters vooruit. Het stoppelige gras schuurt als een stalen borstel over mijn borst, buik, bovenbenen en knieën. Na een eeuwigheid kom ik pijnlijk tot stilstand. Mijn voetbalbroek is tot onder mijn knieën geschoven. Op de tribunes klinkt gefluit en geschater. Mijn slipje van *101*

Dalmatiërs maakt iedereen vrolijk.

Ik krabbel overeind, trek mijn broek weer op, negeer de lachsalvo's en zie hoe David de bal op de penaltystip legt.

'Je zou een sponsorcontract met de slipjesfabrikant moeten afsluiten,' plaagt het meisje. 'Of met de Disney-studio's!'

Ze bijt op haar lip, in een poging om haar lachen in te houden.

'Als iemand me heeft gefilmd, word ik een hit op *YouTube*,' zucht ik.

'Het werd gefilmd,' antwoordt ze prompt.

Ik hap naar adem. Natuurlijk. De lokale televisie maakte een reportage van onze wedstrijd. De beslissende kamp tussen twee ploegen die in de loop van het kampioenschap evenveel punten hadden behaald, geen enkele nederlaag hadden geleden, tweemaal gelijk hadden gespeeld tegen elkaar, evenveel doelpunten hadden gescoord en evenveel tegendoelpunten hadden geslikt.

De supporters van de twee ploegen leefden mee. De lokale zender vond de wedstrijd belangrijk genoeg om te komen filmen. Mijn slipje wordt ongetwijfeld de vrolijke noot om de reportage af te sluiten.

Ik probeer niet te denken aan *YouTube* en neem een slok van mijn sapje. Net als ik haar naam wil vragen, loopt Davids vader het podium op.

'Ik moet gaan. De plicht roept,' zegt ze.

Ik knik, al spreekt ze in raadsels.

'Overigens bedankt voor het compliment over mijn hoedje. Leuk dat iemand er oog voor heeft.'

'Graag gedaan,' zeg ik, terwijl mijn wangen alweer beginnen te gloeien.

'Trouwens,' zegt ze, voor ze wegloopt, 'ik ben dol op dalmatiërs.'

Ik ben blij dat het bijna donker is. Mijn hoofd gloeit. Ik moet intussen een kleur hebben waarvan moderne schilders alleen maar kunnen dromen.

Wie is die meid? En welke plicht roept haar?

David heeft me verteld dat hij een verrassing in petto had, maar heeft verder niets verklapt, met als reden – of goedkoop excuus? – dat ook de beste vrienden af en toe een geheim voor elkaar moeten hebben.

Is zij de verrassing? Een nieuw zangtalent misschien? Ik hoop dat ze geen Disney-nummer brengt, want dan ben ik weer de pineut. Is ze een model dat de trofee voor de meest verdienstelijke speler komt overhandigen?

Maak ik een kans op de beker? Ik ben per slot van rekening topschutter van deze competitie.

Stel je voor, straks overhandigt die schoonheid mij mijn trofee. Haar zoenen zullen mijn wangen verschroeien, onze blikken zullen zich in elkaar vasthaken, onze handen zullen elkaar zoeken en...

'Dames en heren!' knalt het door de boxen. Ik sta meteen weer met beide voeten op de grond.

Natuurlijk maak ik geen kans op die trofee. Die is voor David. Iedereen heeft op hem gestemd. Davids vader is voorzitter. Als je tegen David stemt, komt dat toch aan het licht, en dan kun je een kruis maken over je carrière in de club. Zelfs de minste amateurclub zal niet meer met je scheep willen gaan.

De journalisten van de regionale pers verdringen zich bij het podium. Davids vader legt iedereen met een handgebaar het zwijgen op en steekt van wal.

Ik luister met een half oor. Speeches van clubvoorzitters klinken allemaal hetzelfde: een samenraapsel van stereotiepe dankwoorden bij winst, en troostwoorden bij verlies. Er wordt heftig geknikt, krachtig geapplaudisseerd en beleefd gelachen.

Mijn blik dwaalt over de massa. Ik zoek dat hoedje.

Ik zie alleen David, onderaan de trap die naar het podium leidt. Hij ziet er gespannen uit. Dat hoeft niet. Zo meteen zal hij opnieuw gelauwerd worden als de meest verdienstelijke speler van de club. Dat weet hij toch ook?

Enzo, onze doelman die meer dan een buitenaardse safe heeft verricht, Maarten, een blok graniet waar meer dan een aanvaller zichzelf op te pletter heeft gelopen en ikzelf, die een aantal cruciale doelpunten heb gescoord en de beslissende strafschop heb uitgelokt, zullen met lege handen naar huis mogen.

Ik haal de schouders op. Ik gun het David. Hij is mijn vriend, en per slot van rekening heeft hij koelbloedig die beslissende penalty omgezet.

Wij hebben samen onze eerste stappen op een voetbalveld gezet en hadden, volgens kenners, talent. We zijn beste maatjes geworden en samen beginnen te dromen. Wij zouden de beste spelers ter wereld worden. David zou de nieuwe David Beckham worden. Hij had in elk geval al dezelfde voornaam en dezelfde spottende grijns, killersblik, lichaamsbouw en voetbalintelligentie.

Ik zou de nieuwe topspits worden, Ronaldo of Ronaldinho op hun best.

David doet er alles aan om die droom waar te maken. Met de hulp van zijn vader. Ik had al snel door dat ik geen nieuwe Ronaldo of Ronaldinho zou worden. Ik heb mijn voornaam trouwens ook al niet mee: Alex.

De speech van Davids vader wordt bekroond met een stormachtig applaus. Hij glundert. Hij heeft zijn moment van glorie gehad. Het is bijna tijd voor David om de schijnwerpers op te zoeken.

Nu valt me pas op hoe verschrikkelijk Davids vader gekleed is. Hij lijkt op kabouter Plop, in dat veel te grote pak met al die pijnlijke kleuren. Alleen de muts ontbreekt, met die punten die omhoogschieten als de kabouter schrikt van verbazing. Die muts is hier overbodig, want Davids vader heeft de touwtjes stevig in handen en heeft alles op voorhand goed gepland.

Ik pak een glas druivensap en slenter naar Enzo en Maarten.

Vooraan roept Davids vader de burgemeester op het podium om de trofee uit te reiken. Ah, *het hoedje* heeft blijkbaar een andere plicht.

De burgemeester lijkt een tweelingbroer van de burgemeester uit Samson en Gert. Ik begin me af te vragen of het feest van vanavond wordt gesponsord door Studio 100. Davids vader valt niet te onderschatten.

Ook de burgemeester begint aan een speech vol clichés en geforceerde grapjes, die met luid applaus wordt afgerond. Eindelijk mag David het podium beklimmen en de trofee in ontvangst nemen.

Tot onze verbazing bedankt David de trainer en zijn ploegmakkers. Ik zie dat kabouter Plop goedkeurend knikt. Is dit een ingestudeerd nummertje, en zou David ons ook hebben bedankt – of mogen bedanken – als er niet zoveel pers was geweest?

'En dan nu de verrassing van de avond,' zegt David als het applaus en het gejuich weer geluwd zijn.

'Mega Mindy!' voorspel ik.

Enzo en Maarten kijken me verwonderd aan. Ik speur de Mega Mindy-loze hemel af.

'Ik ben blij met deze trofee,' zegt David. 'Maar enkele weken geleden, heb ik een nog grotere trofee veroverd.'

Enzo, Maarten en ikzelf kijken elkaar vragend aan. Wat heeft David verzwegen? Wat heeft zijn vader bekokstoofd? Ditmaal luisteren we echt.

'Mag ik jullie voorstellen: mijn vriendin, Eva!'

Plotseling staat ze daar op het podium, *het hoedje*. Alsof ze zomaar uit de lucht viel.

Mijn glas valt kletterend op de grond.

'Hé man, beetje zuinig met de drankjes,' fluistert Enzo.

Er breekt weer luid applaus uit, een paar schoften fluiten op de vingers. Eva lacht verlegen. Camera's zoomen in. Fototoestellen flitsen. Davids vader glundert. Droomt hij al van de nieuwe David Beckham en Victoria Adams?

'Een trofee met een hoedje,' mompel ik.

'Jezus man, wat zat er echt in dat glas van jou?' vraagt Maarten.

Eva verdwijnt samen met David van het podium. De muziek barst los.

Ik slenter naar de sapjestafel in de verste hoek van de tuin en haal een paar keer diep adem. Terwijl ik mijn glas vul met druivensap, verschijnt Eva opeens. Druivensap stroomt over mijn hand.

'Shit,' roep ik.

Eva schiet in de lach. 'Je schrikt je nog eens... een hoedje!'

'Van trofeeën die uit de hemel komen vallen,' antwoord ik zuur.

Eva lacht niet meer. 'Dat flikt David me geen tweede keer,' zegt ze boos.

Ik kijk haar verbaasd aan, terwijl ik mijn handen droogwrijf.

'Een trofee, zoiets zeg je toch niet. En mij daarna laten keuren alsof ik een prijsbeest ben,' vertrouwt Eva me toe.

Nog voor ik een repliek kan verzinnen, duikt David op.

'Ah, jullie kennen elkaar al.'

'Niet echt,' zegt Eva meteen.

'Oh?' schrikt David. 'Mag ik je voorstellen: Alex, onze topschutter en mijn beste vriend. En Eva, de vrouw van mijn dromen,' lacht hij, 'maar dat weet je al.'

'Nog maar een paar minuten,' mompel ik gepikeerd.

'Sorry, Alex,' zegt David. 'Dit wou ik even geheimhouden.'

Eva kijkt David vragend aan.

'Ik heb Alex niets over ons verteld,' antwoordt David met een verontschuldigend gebaar.

'Zelfs niet aan je beste vriend?' Eva fronst de wenkbrauwen.

'Tja, maar...'

'Ik zou me ook belazerd voelen.'

David lacht groen, verzint een excuus en laat ons achter.

'Poets wederom poets?' vraag ik met een glimlach. 'Als dit een wedstrijd was, zou het nu één-één zijn.'

Eva kijkt me aan.

'Ik houd niet van wedstrijden en al helemaal niet van voetbalwedstrijden,' klinkt het nors.

Ik heb mijn glas gelukkig heel stevig vast. David heeft dus een vriendin die niet houdt van wat hem het liefste is. Of is zij hem nu het liefste?

2.

Ik lig te woelen in mijn bed. Beelden van het feestje flitsen door mijn hoofd.

'Zin om te dansen?' hoor ik mezelf aan Eva vragen. Waarom vraag ik dat in godsnaam, ik kan helemaal niet dansen. Ik ben een houten klaas als het op dansen aankomt. Waarom wil ik mezelf belachelijk maken? Wat wil ik bewijzen? Dat ik niet alleen maar van voetballen houd? Eva kijkt uit over de massa. In de verste hoek staat David, druk in gesprek met onze trainer. Ze zijn waarschijnlijk al een strategie voor het volgende seizoen aan het uitdokteren.
'Ik wil graag met je dansen,' zegt Eva als ze beseft dat ze niet op David hoeft te rekenen.
Ik besef dat ik tweede keuze ben – de bankzitter die in nood invalt – maar voor een keer stoort me dat niet.

Ik staar door het open raam naar buiten. Maanlicht valt door de spleet tussen de gordijnen naar binnen. Het lichte briesje doet de gordijnen bewegen, even harmonieus als Eva en ik op de dansvloer.

Haar hand in mijn hand. Haar arm om mijn schouder. Haar heup tegen de mijne. Haar warmte stroomt bij me naar binnen. Ik snuif haar parfum en duizel. Ik druk haar spontaan zo dicht tegen me aan dat ze ervan schrikt. En ik ook.

'Sorry,' stotter ik en ik neem een beetje afstand.

Eva kijkt me enkele seconden lang aan en lacht dan lief. Zelfs de koele bries die opsteekt kan mijn bijdrage tot de opwarming van de aarde niet doen afnemen...

Ik knip de nachtlamp aan en sla het boek open dat ik net heb gekocht. *Het gezelschap van leugenaars*, van Karen Maitland. Een kanjer van een boek, zowel wat volume als wat inhoud betreft, tenminste als het waar is wat de recensent erover zegt. Wat voor gezelschap ben ik? De vriendin van mijn vriend. Is het normaal dat ik steeds aan haar denk? Wat maak ik mezelf wijs? Dat ik een kans maak? En ik zou mijn beste vriend toch niet onder zijn duiven willen schieten? Hem zijn *trofee* afhandig maken? Ik draag teamspirit hoog in het vaandel. Dat zou toch opperste verraad zijn?

3.

Met een loodzware kop schuif ik aan tafel. Papa, mama en zus zijn al aan het eten. De zondagse brunch is het moment voor mij en papa om een nabespreking te houden van de voorbije wedstrijden. Een voetbalbrunch dus, tot grote ergernis van mijn mama en zus. Vandaag heb ik weinig zin in nabesprekingen. Voetbal, het zal me worst wezen, denk ik, terwijl ik naar de sappige worstjes in de pan staar.

'Houten kop?' vraagt papa geamuseerd.

'Van vruchtensapjes in alle smaken en kleuren?' antwoord ik zonder op te kijken.

Papa fronst zijn wenkbrauwen. 'In mijn tijd...'

'Te veel gedanst misschien?' snoert Evelien hem de mond. Ze heeft duidelijk geen zin in een verhaal uit de oude doos.

'Gedanst, ja. Te veel, nee,' zeg ik kort.

Evelien doet alsof ze zich lam schrikt. 'Met een meisje of alleen?'

Ik kijk haar van onder mijn wenkbrauwen woest aan. Mijn zus is een jaar jonger dan ik. Soms wens ik dat ze tien jaar ouder was, gehuwd met een droogstoppel, en met een bende jengelende kinderen aan haar rokken en een huis aan de andere kant van de wereld.

'Ik heb gedanst met de bezemsteel van een lelijke heks, die ik dadelijk onder je kont schuif zodat je ermee kunt wegvliegen.'

Mama komt sussend tussenbeide. Ze giet mijn mok vol koffie en schuift het mandje met brood en ontbijtkoeken naar me toe.

Ik neem een slok en brand bijna mijn keel, terwijl ik het brood en de koeken weer naar het midden van de tafel schuif.

'En Davids vader?' vraagt papa ernstig. Hij weet hoe de vork in de steel zit in de club.

'Zoals gewoonlijk,' zeg ik.

Papa knikt begrijpend, terwijl hij een slok van zijn koffie neemt.

'En David?' vraagt hij dan.

'Zoals elk jaar.'

Papa knikt opnieuw en vist een ontbijtkoek uit het mandje. Hij negeert de gefronste wenkbrauwen van mama, die waarschijnlijk zo zal zeggen dat papa beter wat meer aan sport zou doen in plaats van erover te praten.

'Hij heeft een nieuwe vriendin,' zeg ik.

Ik vraag me af waarom ik dat hier in de groep gooi.

'Kennen we haar?' vraagt mama opeens geïnteresseerd.

Ik haal de schouders op. 'Ze heet Eva.'

'Mooie naam,' zegt mama. 'Als ik een tweede dochter had

gekregen, dan...'

'... en ze houdt niet van voetbal,' onderbreek ik mama vooraleer zij oude koeien uit de sloot kan halen.

Papa verslikt zich bijna in zijn ontbijtkoek. 'Dat zal Davids vader leuk vinden!'

'Tja, de bal is wel rond, maar soms rolt hij vierkant,' zegt mama vrolijk.

We kijken haar vragend aan. Mama's voetballogica blijft een mysterie voor ons.

'Ze droeg een mooi hoedje,' zeg ik, zomaar.

'Ik ken een Eva die van hoedjes houdt,' komt Evelien ongevraagd tussen.

Ik ben plotseling een en al oor.

'Ze zit bij Britt in de klas.'

Britt is de zus van David en Eveliens beste vriendin, al zitten ze niet in dezelfde klas.

Ik probeer mijn interesse te verbergen.

'Het is een watje en ze draagt *belachelijke* hoedjes!' ratelt Evelien.

Mijn ogen vuren een bliksemschicht op haar af. Waar is die bezemsteel?

Ik schuif mijn nog halfvolle mok van me weg en sta op.

'Ik ga een luchtje scheppen langs de rivier,' zeg ik.

'Ik ga mee.' Evelien komt me achternagelopen.

'Geen sprake van.'

Ze zet een pruilmondje op, maar ik houd voet bij stuk.

'En tussen haakjes,' zeg ik buiten gehoorbereik van papa en mama, net voor ik naar buiten loop, 'ik heb *veel* gedanst... *met Eva.*'

Evelien staart me perplex na.

4.

Ik slenter over het geasfalteerde wandelpad langs de rivier. Ondanks het mooie weer, is er weinig volk. Hier en daar een moeder met een kinderwagen, een peuter die zijn eerste stappen zet en nog even wankel op zijn benen staat als een aantal feestgangers gisteravond, een vader die zijn zoon of dochter leert fietsen. Er zijn gelukkig geen wieler-*terroristen* die de wandelaars genadeloos van het pad rijden.

Ik ga op een bank zitten en kijk naar de eenden die op het water voorbijglijden. Er staat een lichte bries. Ik gooi mijn hoofd naar achteren, kijk een paar seconden lang recht naar de zon en knijp dan mijn ogen dicht. Vreemde figuren in ontelbare kleurschakeringen dansen aan de binnenkant van mijn oogleden. Ik knijp mijn ogen nog harder dicht en zie nog meer figuren en kleuren.

De zon brandt op mijn gezicht en ik zink langzaam weg in een soort van slaapdronkenheid.

Plotseling voel ik twee handen voor mijn ogen.

'Driemaal raden,' klinkt het.

Ik ben meteen klaarwakker. 'Eva?'

De handen gaan weg en een guitig lachende Eva komt

naast me zitten. Haar vuurrode haar bungelt in een lange vlecht op haar rug. Ik wist niet dat een klein hoedje zoveel haar kon verbergen. Het puntje van haar staart komt tot net boven haar broekriem.

Eva draagt een wit topje, een lange witte broek en witte loopschoenen. Ze lijkt wel een engel, met gouden sproetjes rond haar neus.

'Wat doe jij hier?' vraagt Eva opgewekt.

'Gewoon, uitwaaien.'

'Zoveel wind staat er niet,' zegt Eva schalks.

'Tot een minuut geleden genoot ik van het water, de zon en vooral van de rust.'

Ik doe geen moeite om mijn glimlach te verbergen en Eva schatert het uit.

'En wat doe jij hier?' vraag ik dan.

'Ook uitwaaien.'

Waarom ziet ze er opeens een stuk minder vrolijk uit?

'Waar is David?'

'Die zit thuis te wachten op een team van de lokale televisie. Ze komen voor een interview.'

'Alweer?'

Eva knikt hard.

'Alweer. Maar na gisteravond had ik geen zin om weer als trofee op te draven.'

Ik onderdruk een lach. Ik zie haar daar weer staan, naast kabouter Plop en de burgemeester. Ze viel als Mega Min-

dy uit de lucht en zag eruit alsof ze meteen weer wou wegvliegen.

'Is dat niet de tol van de roem?' vraag ik me af.

Ik bedenk dat nogal wat partners van beroemde voetballers maar wat graag als trofee opdraven.

'David mag dan wel denken dat hij de nieuwe Beckham is,
maar ik ben zijn Victoria niet, al was Victoria natuurlijk al
beroemd voor ze hem leerde kennen,' zegt Eva ernstig.

Ik krijg de indruk dat er een haar in de boter zit tussen
David en Eva.

'Ach, misschien loopt het allemaal niet zo'n vaart,' sus ik.

Er verschijnt een flauw lachje om Eva's mond.

'We hebben ruzie gehad,' zegt ze dof.

Ik schrik. Wil ik dit wel horen?

'Morgen komt hij zich met hangende pootjes verontschul-
digen en je smeken om het weer goed te maken,' probeer
ik Eva op te monteren.

'Morgen vertrekken we voor een weekje naar zee.'

Dat is snel, schrik ik.

'Aparte kamers!' zegt Eva meteen, alsof ze mijn gedachten
gelezen heeft.

Ik probeer mijn opluchting te verbergen.

'Maar ik heb er absoluut geen zin in,' gaat Eva voort.

Ik tuit mijn lippen. 'Weet David dat?'

Eva bestudeert de punten van haar schoenen. 'Ik durf het
hem niet te zeggen.'

Ze trekt met haar hak een streep in de grond voor de bank. De streep onder hun verhaal? Afgelopen? Slaat mijn fantasie op hol? Of hoop ik ergens op?

'Je vindt me vast een watje,' zegt Eva bedrukt.

Mijn mond valt open.

'Dat vind ik helemaal niet,' antwoord ik heel beslist.

Eva kijkt me aan. Een traan welt op in haar ogen. Het is wonderlijk mooi en zou dichters inspiratie geven.

'Ik vind je heel...' begin ik.

Mooi. Lief. Zacht.

'... leuk,' zeg ik.

De traan wipt over de rand en trekt een mascarastreep over Eva's wangen.

'Hé,' zeg ik, terwijl ik mijn hand op haar arm leg. 'Maak je je niet veel te druk? David heeft gisteren zijn trofee ontvangen, maar morgen is dat alweer vergeten.'

Als dit een tranentrekker naar Amerikaans model was, zou ik nu troostende woorden moeten spreken, haar in de armen nemen – wat moet moet – en hartstochtelijk kussen. Het zou het begin zijn van een spannend verhaal, een rit in een emotionele roetsjbaan, waarbij de personages heen en weer geslingerd worden tussen liefde en haat, aantrekking en afwijzing, vriendschap en vijandschap. Voor wie wordt het een happy end? Voor wie een deprimerende aftocht? Maar dit is geen fictie. Eva is de vriendin van mijn beste vriend. Ik moet mijn fantasie en vooral mijn verlangens

onder controle houden. Ik ben toch geen verrader?
'Sorry, ik mag je niet lastigvallen met mijn problemen,'
zegt Eva. 'Ik stap maar eens op.'
In een flits is Mega Eva verdwenen.
Op het water vliegen de eenden snaterend op. Lachen ze
me uit?

5.

Als ik thuiskom, is de verwarring in mijn hoofd alleen maar groter geworden. Het lijkt alsof mijn gedachten zich clusteren in mijn hoofd. Een clusterbom! Een bom vol bommen. Ik ben in gevaar, ik ben een gevaar.

Ik heb dorst noch honger. Mama kijkt me eerst verbaasd en daarna vragend aan, terwijl ze een flinke beet neemt van de zelfgebakken taart die als vieruurtje op tafel staat en waar ook papa en Evelien zich te goed aan doen.

Zelfs papa kijkt me een ogenblik bezorgd aan. Op aandringen van mama, neem ik toch koffie.

Meer dan een slok krijg ik niet naar binnen, dus vlucht ik maar naar boven. Ik kan niet meer tegen hun bezorgde blikken. Ik kan niet vertellen wat er aan de hand is. Ik weet zelf niet wat er aan de hand is. Of wel?

Als ik een paar uur later zelfs mama's pizza, mijn favoriete gerecht, afwijs, word ik aan een kruisverhoor onderworpen.

'Ben je ziek?' vraagt mama.

'Nee.'

'Heb je gisteravond iets verkeerds gedronken?'

'Nee.'

'Iets gegeten dat te lang in de warmte heeft gestaan?'

'Ook niet.'

'Dat feestje is je in elk geval niet goed bekomen,' doet papa ook een duit in het zakje.

Dat klopt in elk geval, denk ik bij mezelf, maar ik zwijg.

'Ik weet wat er hem scheelt!' roept Evelien uit.

Twee hoofden draaien meteen haar kant uit. Ik kijk haar vanuit mijn ooghoeken aan.

'Alex is verl...'

'Hou je kop!' snauw ik haar toe. 'Of ik ram die pizza door je strot!'

'Rustig, rustig,' sust mama geschrokken.

Ze eten alle drie zwijgend voort. Ik kijk toe.

'Misschien moet je er gewoon even tussenuit,' zegt papa dan. 'Het is een slopend voetbalseizoen geweest en een zwaar schooljaar. Waarom ga je niet even weg, van alles en... iedereen,' zegt hij met een blik op Evelien gericht.

Ik kijk hem vragend aan.

'Heb je geen zin om naar tante Mia's appartementje te gaan voor een paar dagen? Ik denk dat het nog vrij is. Dat zal je goed doen.'

Papa bedoelt het goed, maar ik voel geen greintje enthousiasme.

Het appartement aan zee dat tante Mia ooit voor een appel en een ei kocht, is zo klein dat je er met moeite een appel en een ei kunt opbergen. En toch heeft ze er twee slaapkamers, een badkamer en een apart toilet in gekregen. Zelfs in een overvolle metro heb je meer ruimte dan in tante Mia's optrekje aan zee, dat niet eens uitzicht heeft op de zee. En de regels die er gelden doen meer denken aan een strafkamp dan een vakantieverblijf. Als je binnenkomt, word je hartelijk welkom geheten, maar tegelijk geboden je schoenen uit te trekken en de parketvloer op sokken te betreden. In de keuken mag je geen stekkers in stopcontacten laten zitten. In de badkamer en het toilet moet je heel zuinig met water en papier omspringen.

Al die wensen staan zorgvuldig genoteerd op Post-it'jes. Tante Mia's appartement kreeg in de familie al heel snel de bijnaam 'het appartement van de duizend papiertjes' of 'het appartement met de gele koorts'.

'Bedankt, pa,' zeg ik, 'maar ik heb daar echt geen zin in. Ik red me wel.'

En omdat ik niet opensta voor andere voorstellen, trek ik maar weer naar mijn kamer. Ik zet een cd op, ga op mijn bed liggen en staar naar het plafond. Maar ik ben blind voor het zonnestelsel en de sterren die ik er zelf op heb geschilderd. Ik zie Eva, ik hoor, ruik en voel haar en ik krijg weer dat vreemde gevoel in mijn hoofd en buik. Krijgt mijn rotzus gelijk?

Verliefdheid, wat is dat, hoe gaat dat? Daar bestaan vast uitgebreide studies over, of hoofdpijnboeken. Ik vraag mij af of je in een nanoseconde verliefd kunt worden, de tijd van één enkele oogopslag aan een sapjesbuffet.

En hoeveel tijd heb je nodig om in de problemen te geraken? Ik heb het gevoel dat ik ook dat razendsnel kan.

Ik schrik op van het gerinkel van mijn telefoon.

'Hallo, Alex,' klinkt het enthousiast.

'David,' zeg ik somber.

'Ik heb een verrassing voor je, makker!'

Niet opnieuw, denk ik.

'En omdat ik niet wil dat mijn beste vriend zich nog eens in de maling genomen voelt, zal ik die maar meteen verklappen,' klinkt het plagerig.

Ik wacht tandenknarsend tot David de stilte breekt.

'Ik heb een interview gehad met de lokale televisie.'

Dat is geen verrassing... meer.

'Leuk,' zeg ik.

'Ze zenden het in de loop van volgende week uit.'

'Ik zal kijken,' zeg ik lusteloos.

Als er niks anders op tv is, wel te verstaan.

'Jammer dat ik zelf niet zal kunnen kijken,' ratelt David door. 'Ik ga met Eva naar zee!'

En zin dat Eva daarin heeft!

'Leuk voor jullie.'

'Hé, jij klinkt als iemand die dringend aan een verzetje toe is,' hoor ik David weer.

Dat is tijdens een diepte-interview met mijn ouders al aan bod gekomen.

'Waarom kom je niet gewoon mee naar zee? Kamers genoeg in die flat. Met zicht op het strand en de zee!'

Ik geloof amper wat ik hoor.

'Als vijfde wiel aan de wagen, ja daar vrolijkt een mens van op,' antwoord ik.

'Vijfde wiel? Jij toch niet!' zegt David.

'Toch maar liever niet.'

'Het is jouw keuze, maar kom tenminste een keertje langs. Eva vindt het vast ook leuk om jou weer te zien.'

Er gaat een schok door me heen. Weer te zien? Heeft ze hem dan niet verteld dat we elkaar net hebben gezien? Of gaat het over gisteravond?

'Ik geef Eva even,' zegt David.

Mijn mond valt open. Stond Eva de hele tijd naast David? Heeft ze mijn sombere toon gehoord? Mijn keel wordt droog en mijn hele lijf tintelt als gek.

'Hallo, Alex,' zegt Eva opgewekt.

Is ze zo opgewekt als ze klinkt? Hebben ze het goed gemaakt? Mag ik mijn hoop nu al opbergen? Wat heb ik mezelf wijsgemaakt?

'Hallo, Eva,' probeer ik niet meer somber te klinken.

'Ik zou het heel leuk vinden om je... nog eens... te zien. Het was leuk gisteravond.'

Ze heeft David niet over onze ontmoeting aan de rivier verteld. Of heeft zij daar de kans nog niet toe gehad? Heeft hij haar meteen verteld over zijn prachtige verrassing, zijn interview? Of heeft ze met opzet gezwegen? Voor de lieve vrede? Gaat ze daarom toch met David naar zee?

Ik geloof nooit dat het weer helemaal goed zit tussen hen. Dat kan niet. Eva past niet bij David. Wat moet ik doen?

'Ik zal erover nadenken,' zeg ik.

'Ik zou het heel fijn vinden,' klinkt het.

Ik hoor dat ze de telefoon aan David geeft, die me meteen weer overdondert.

'Dat is dan mooi geregeld. Neem pen en papier en noteer het adres.'

Ik gehoorzaam automatisch. Tot mijn verbazing ligt hun verblijf vlak bij het appartement van tante Mia.

'Zei jij niet dat het appartement van de duizend papiertjes misschien nog vrij is?' vraag ik aan papa als ik even later de woonkamer binnenstorm.

Papa lacht opgelucht en grijpt meteen naar de telefoon. Amper vijf minuten later is alles in kannen en kruiken, al hangt papa ruim een uur aan de lijn met tante Mia, die hem bezweert me duizend-en-één instructies mee te delen.

Ik trek me daar, net als papa, niets van aan en vraag mama of er nog pizza is. Mama, even opgelucht als papa, warmt meteen een flinke punt op. Mijn maag gromt en ik tast meteen toe.

Ik vraag mama of ze meteen nog een stuk wil opwarmen.

Ik kauw niet alleen mijn pizza maar ook mijn lastige gedachten fijn.

6.

De treinreis naar zee lijkt minder lang en is minder vermoeiend dan anders. Ik heb geen last van de volgepakte wagon, of van de vele joelende kinderen. Ik glimlach zelfs naar die vervelende koters die luidruchtige computergames spelen. Ik ben er voor ik het besef.

Ik heb de hele tijd aan Eva zitten denken. Zelfs als ik uitstap en het station en de uitgelaten massa verlaat, spookt Eva door mijn hoofd. Het is zo erg dat ik drie keer de verkeerde straat inloop voor ik eindelijk tante Mia's appartement bereik.

Voor ik naar binnen ga, stuur ik David een sms'je: ben aan zee! Dat zal pas een verrassing zijn, denk ik met een grijns. Ik voeg er meteen het adres van het appartement aan toe.

De geur van de geboende houten vloer dringt in mijn neus en snijdt me de adem af. Op de kast links van de deur hangt het eerste Post-it'je: *Welkom – gelieve uw schoenen uit te trekken alvorens verder te gaan!*

Ik loop meteen naar de achterste kamer, de koelste en dus de prettigste om te slapen. Ik gooi mijn reistas in een hoek, klik het raam open, haal de sprei van het bed, neem verse lakens uit mijn tas en maak het bed op.

Als ik klaar ben, loop ik terug naar de woonkamer met de open keuken. In de koelkast, waarop de instructie is aangebracht de deur altijd goed te sluiten na gebruik, vind ik alleen een ongeopende fles witte wijn en een fles water. In een opbergkast ligt een zakje borrelnootjes, achtergelaten door de vorige bezoekers als welkomstgeschenk voor de volgende, een traditie die door tante Mia is ingevoerd en die wordt voortgezet dankzij de Post-it op de achterkant van de ingangsdeur.

Ik moet dringend inkopen gaan doen als ik behalve borrelnootjes nog wat anders op het menu wil. Ik mag niet vergeten om genoeg water te kopen, want die ene fles zal in een wip leeg zijn. De witte wijn zal onaangeroerd blijven, daar geef ik geen geld aan uit.

Ik trek strandslippers aan en vergeet de sleutel niet dankzij het Post-it'je boven de deurklink.

De hitte valt als een loden blok op me en doet me naar adem happen. In de straten kun je over de koppen lopen en ook in de winkels moet je engelengeduld opbrengen. Aan de kassa's kun je de adrenaline van de caissières en de klanten opsnuiven. Vakantie, ontspannend! Voor wie? vraag ik me af.

Ik verwijt mama altijd dat ze veel te veel inkoopt, maar nu sjok ik zelf met twee volle boodschappentassen door de straten. Mijn T-shirt plakt tegen mijn rug. Onder mijn oksels en op mijn borst verschijnen grote zweetvlekken. Door de droge warme lucht, voelt mijn keel snel aan als schuurpapier. Als ik eindelijk het appartement bereik, heb ik het gevoel dat mijn armen tien centimeter langer en mijn benen vijftien centimeter korter geworden zijn, en dat mijn hersenen verdampt zijn.

Ik negeer de waarschuwing om geen zware voorwerpen op het aanrecht van de keuken te plaatsen.

Ik schroef een fles water open en drink ze in één keer meer dan halfleeg. Ik ga naar de badkamer, draai de knop van het water naar ijskoud en trek mijn kleren uit. Ik slaak een luide gil als de eerste waterstralen zich als speren in mijn verhitte lichaam boren. Een ijsbeer zal ik nooit worden. Ik draai de temperatuur iets hoger en geniet van de heerlijke douche. IJsbeer*tje*!

Ik droog me af, loop naar mijn kamer, trek mijn slipje aan en ga op het bed liggen. Een licht briesje streelt mijn benen en bovenlijf. Ik sluit mijn ogen en val prompt in slaap.

7.

Ik word wakker van de bel. Is dat de bel van dit appartement? Ik blijf liggen, met mijn ogen dicht. Als de bel weer
gaat, besef ik dat het inderdaad de bel van mijn appartement is. Ik kom langzaam overeind, trek met veel moeite
een short en een T-shirt aan en slof slaapdronken naar de
deur. Wie komt me op dit moment storen? Plots schiet het
me te binnen! Tante Mia! Wie anders? Controlefreak! Ik
schrik als ik de boodschappentassen op het aanrecht zie
staan, een handdoek op een stoel zie hangen en mijn
sportschoenen in het midden van de kamer zie liggen. Te
laat. Ik heb de deur al geopend.
En dan schrik ik nog meer. Ik ben meteen klaarwakker.
'Eva!'
'David is een schoft!' klinkt het.
Even ben ik blij dat het niet tante Mia is die voor me staat,
maar meteen daarop word ik door onrustige gevoelens
overvallen.
Eva's kleren zijn gekreukt en haar vlecht is half los. Haar
ogen hebben een rare glans. Heeft ze gehuild?
Ik probeer kalm te blijven.
'Misschien kom je maar beter binnen.'

Eva loopt naar het midden van de kamer. Ze heeft geen tijd om Post-its te lezen. Haar schoenen laten een spoor van zand achter. Dat veeg ik straks wel op. Verdomme, het is net alsof tante Mia in mijn hoofd zit.

Eva draait zich om en kijkt me aan.

'Weet je wat het allereerste is dat hij heeft gedaan nadat we hier aankwamen?'

Ik kijk haar afwachtend aan. Ze gooit haar armen omhoog.

'Je gelooft het niet!' brult ze.

Er gaan tal van mogelijkheden door mijn hoofd. Honderd push-ups? Een hindernisloop gebouwd met het meubilair? Vijf keer rond het gebouw gelopen terwijl zij de koffers mocht uitpakken? Ik spreek mijn gedachten niet uit. Het is geen moment voor grapjes.

'Hij heeft onmiddellijk gebeld naar de organisator van een strandvoetbaltoernooi, met de vraag of hij zich nog bij een team kon aansluiten.'

Ondanks alles moet ik lachen.

'Ja, lach maar!' stoomt Eva door. 'We kwamen naar zee om tot rust te komen, om dat verdomde voetbalgedoe een week te vergeten.'

Ik plof neer op de sofa en nodig Eva uit om ook te gaan zitten. Ze zakt neer in de fauteuil tegenover me.

'Alles ging goed, hij heeft helpen uitpakken, we zouden samen langs de boekhandel lopen, hij heeft zelfs beloofd om minstens één boek te lezen dat niet over voetballen gaat.'

Daar kijk ik van op. Als David zo'n belofte tegenover mij zou uitspreken, zou ik eens hartelijk lachen. Ik kan me David zelfs niet voorstellen met een roman of thriller in zijn handen.

'Alles ging goed, tot we op de promenade liepen en hij die affiche zag over dat toernooi. Toen was er geen houden meer aan!'

Wolven dromen nu eenmaal van bossen, bedenk ik.

Eva zucht en zakt onderuit in de fauteuil. Als David zo doorgaat, zou dit wel eens een wedstrijd met verlies kunnen worden. Ik voel me meteen schuldig, zoiets wens je je beste vriend niet.

'Waar is David nu?' wil ik weten.

Eva schokschoudert. 'In het appartement. Aan het bellen. Naar een van die teams. Het kan me geen moer schelen! Ik wil naar huis!'

Nee toch.

'Dat zou jammer zijn. Ik kom op jullie aandringen naar zee en dan gaat David meteen voetballen en wil jij naar huis.'

Eva zucht nog een keer diep.

'Zal ik koffie zetten?' stel ik voor.

'Geen zin in,' klinkt het somber.

'Zal ik water verwarmen voor een thee? Daar word je rustig van.'

'Hou je van thee?'

'Mijn lievelingsdrank,' lieg ik.

Ik drink nooit thee, maar die goeie tante Mia heeft altijd allerlei soorten thee in voorraad.

'Thee en voetballers, ik wist niet dat dat samenging,' zegt Eva.

'Waarom zou een voetballer geen lekkere kop... muntthee lusten?' vraag ik, starend naar het doosje dat ik willekeurig uit de kast heb genomen. Straks geloof ik mijn eigen leugens nog, bedenk ik.

'Muntthee!' roept Eva uit. 'Ik ben gek op muntthee.'

Het is alsof alle goden ter wereld me helpen. Is dit toeval? We komen overeind en lopen naar de keuken. Ik doe water in de elektrische waterkoker, schakel hem in en pak samen met Eva de boodschappen uit. Het is alsof we al jaren samen zijn. Terwijl ik twee koppen klaarzet, opent Eva het doosje met thee en haalt er twee builtjes uit. Ze houdt ze vlak onder haar neus, sluit haar ogen en snuift de geur op. Ik weersta nog net aan de drang om haar aan te raken.

'Heerlijk!' zegt ze weer, haar ogen nog altijd dicht.

Ze staat vlak naast me. Ik ruik haar parfum, ik voel haar warmte. Mijn hart begint hard te bonken, bliksems schieten door mijn lijf. Mijn knieën knikken en mijn benen worden slap.

Het is alsof ik nu pas zie hoe mooi Eva is. Oren om zoete

woorden in te fluisteren, een neusje om te strelen, lippen die gekust willen worden en ogen om in te verdrinken.

Ik heb dat soort dingen wel eens gelezen in een roman, maar ik vond dat altijd nogal grappig. Soms zelfs belachelijk. Maar nu weet ik dat het soms gewoon waar is.

'Vanaf de eerste slok, was ik dol op muntthee,' zegt Eva als ze haar ogen weer opent en me aankijkt.

En ik ben dol op jou, wil ik zeggen. Vanaf de eerste blik! Maar ik zwijg. Ik schenk haar een kop warme muntthee in. Even later gaat ze weer naar David.

8.

Buiten is het eindelijk wat koeler geworden. Ik ga een wandeling maken langs de dijk en het strand. Ik moet nadenken. Het scheelde niet veel of ik had mijn gevoelens verraden.

Het is niet omdat Eva me graag wilde terugzien en ik meteen haar lievelingsthee heb gekozen dat ik me illusies moet maken.

Het krioelt van het volk op de dijk. Wandelaars botsen tegen elkaar, worden net niet overhoop gereden door fietsers, rolschaatsers of skaters. Nog anderen ontwijken op het nippertje schoothondjes die aan het einde van een leiband trippelen of, erger, de drollen in alle vormen en kleuren.

Op het ogenblik dat mijn zenuwen het dreigen te begeven, hoor ik plotseling iemand 'Hé, Alex!' roepen.

Ik kijk zoekend in het rond en zie dan David op een terrasje hard naar me zwaaien. Eva zit naast hem en nipt van een kop. Alweer muntthee?

Ik heb geen zin in hun gezelschap, maar ik kan ze natuurlijk niet zomaar straal voorbijlopen.

Ik baan me een weg door de massa en geef David en Eva

een stevige handdruk en een glimlach alsof ik verbaasd ben om hen daar aan te treffen.

'Ik had je niet zo snel aan zee verwacht,' zegt David, die onmiddellijk een stoel aan hun tafel vrijmaakt. Hij hangt zijn trainingsjasje over de rug van zijn stoel, drapeert Eva's avondtruitje over de rug van haar stoel en stapelt een paar nieuwe boeken op de hoek van de tafel, onder het waakzame oog van Eva. Ik ga gedwee zitten.

'Boeken gekocht?' vraag ik.

'Ze zeggen dat het slecht gaat in de boekensector,' wijst David naar de stapel, nog voor Eva mijn vraag kan beantwoorden. 'Dat zal zeker niet aan Eva liggen! Ze verslindt boeken.'

Mijn oog valt op het onderste boek: *Het gezelschap van leugenaars*.

'Wat een toeval,' zeg ik. 'Ik ben net begonnen in dat boek.'

Eva kijkt me verbaasd aan. 'Hou je van historische thrillers?'

David schiet in de lach. 'Niet alleen van thrillers. Alex is minstens even erg als jij,' antwoordt hij in mijn plaats. 'Als hij geen profvoetballer wordt, dan wordt hij bibliothecaris of schrijver!'

'Dat is in ieder geval minder vermoeiend dan voetballen,' antwoord ik.

'Daar ben ik nog niet zo zeker van,' zegt Eva meteen. 'Maar een schrijver hoeft in elk geval niet af te zien in de regen en de modder of in de hitte en het stof.'

Zelfs David moet dat beamen.

'En je moeder of partner hoeven geen vuile shirts te wassen. Daar zou ik voor bedanken.'

David kijkt verbaasd op. 'Moet ik daaruit afleiden dat jij niet van plan bent om ooit mijn kleren te wassen?'

Ik weet niet of ik het antwoord wil horen.

'Voetballers zijn toch stoer?' zegt Eva. 'Die kunnen hun kleren zelf wel wassen. Emancipatie is niet alleen iets voor vrouwen!'

Een plompe vrouw aan het tafeltje naast ons heeft het gesprek gehoord en knikt naar Eva. Is de man, die naast haar zit en in een sportmagazine bladert, ook voetballer geweest? Heeft zij wel jarenlang shirtjes en sokken gewassen? En zou zij dat nu anders aanpakken? Aan haar uitdrukking te zien, geloof ik van wel.

David schrikt in elk geval nog meer en er komt een diepe rimpel in zijn voorhoofd.

Ik houd mijn mening voor mezelf. Ik word nog een kei in zelfbeheersing.

'En hoe ver ben je al in dat boek?' breekt Eva de stilte.

'Ik ben pas begonnen. Een bladzijde of dertig,' antwoord ik.

'Die voorsprong stelt niets voor,' komt David tussen, 'dat rijdt of leest Eva in een klein uurtje dicht.'

Het klinkt alsof hij zich erover verbaast dat een mens zich

met zoiets onzinnigs als lezen kan bezighouden. Alsof er geen leukere dingen te verzinnen zijn om 's avonds te doen.

Stiekem hoop ik dat Eva het boek zo spannend vindt dat ze inderdaad geen zin heeft om andere dingen te doen.

'Wil je iets drinken?' vraagt David, die meteen een ober roept.

'Muntthee,' zeg ik. 'Daar ben ik dol op.' Waarom zeg ik dat?

'Dol op thee? Drink jij thee?' vraagt David verbaasd.

'Hoe was je interview?' vraag ik om hem af te leiden. Eva kijkt schijnbaar in gedachten verzonken in haar kopje.

'Ach, de klassieke vragen, je kent dat wel,' zegt David. 'Goed genoeg om de tijd tussen twee reclameblokken te vullen,' voegt hij eraan toe.

Daar meen je geen woord van, denk ik. Je leeft voor voetbal, niets is zo belangrijk als voetbal.

De ober zet de dampende kop thee voor me neer.

'Zullen we meteen iets te eten bestellen? Of heb je al gegeten?' vraagt David, die de ober staande houdt. Hij grijpt de kaart en overloopt ze met een blik.

'Nee,' zeg ik aarzelend. 'Maar ik wil jullie... romantisch dineetje niet verstoren.'

Eva verslikt zich haast in haar thee. 'Romantisch? Met al dat volk hier?'

'Doe mij maar een broodje met ham,' zegt David tegen de wachtende ober, en in één adem geeft hij aan dat het broodje krokant dient te zijn, de ham ontvet en dat er geen mayonaise op hoeft.

De ober slaakt een zucht van opluchting als Eva een slaatje bestelt, zonder speciale wensen, en ik doodsimpel een tosti met ei vraag.

'Eerst een gezonde thee en daarna kaas, ei en ketchup! Als sportman zou je beter moeten weten,' vindt David. Hij ziet er al even geïrriteerd uit als de ober daarnet.

Ik haal de schouders op. 'Ik heb een heel voetbalseizoen geleefd als een monnik. Nu wil ik de teugels toch wel even vieren,' antwoord ik. 'Zelfs monniken en paters laten zich wel eens gaan.'

David schudt het hoofd.

'Eindelijk iemand die het voetbal even wil vergeten,' zegt Eva.

Ik negeer die opmerking en nip van mijn thee.

'Ik heb me ingeschreven voor een toernooi. Eva lijkt dat niet leuk te vinden, zelfs niet als ze de was niet hoeft te doen,' verduidelijkt David.

'Kun je hier dan voetballen?' vraag ik. Ik wist niet dat ik zo kon liegen.

'Er is een strandvoetbaltoernooi,' antwoordt David. 'Het lijkt me leuk om te gaan kijken...'

'Kijken!' onderbreekt Eva hem.

Ik hoor de ergernis in haar stem en zie de verwijtende blik in haar ogen.

'... en mee te spelen,' geeft David toe.

Eva veegt een denkbeeldig stofje van haar kleren. Ze kan David nauwelijks nog aankijken.

'Misschien heb jij ook wel zin om...' zegt David aarzelend.

Even hap ik naar adem. Eva draait haar hoofd met een ruk naar me.

'Nee, bedankt,' wimpel ik David af. 'Ik wil voetbal echt wel even vergeten. Maar, doe jij maar gerust. Ik kom zeker supporteren,' zeg ik om hem niet helemaal te ontgoochelen.

De ober komt eraan.

'Een *krokant* broodje met *ontvette* ham *zonder* mayonaise voor meneer,' zegt hij zo luid dat iedereen onze kant uitkijkt.

'Dat is vriendelijk, dank u wel,' zegt David en hij glimlacht zo charmant dat de ober enigszins in de war is. Zo is David, hoe erg hij je ook op de zenuwen kan werken, je vergeeft het hem meteen. Ik voel een steek van jaloezie.

'Lang leve de zonde!' zeg ik, terwijl ik een flinke kwak ketchup op mijn tosti smeer. 'In het kwadraat,' voeg ik eraan toe als Eva nog thee bestelt, David water zonder bruis en ik een koel biertje neem.

David kan zijn ergernis nauwelijks onderdrukken en ik heb de indruk dat Eva er plezier in heeft. Daar word ik nog driester van en ik vraag een lik mayonaise aan Eva.

'Ik hoop dat onze trainer niet in de buurt is,' moppert David.

'Die ligt al onder de Spaanse zon, en propt zich waarschijnlijk vol met tapas en tortilla's en...'

'Sangria! En tequila!' vult Eva aan.

'Olé olé!' bevestig ik en we schieten in de lach.

David kauwt boos op zijn gezonde broodje. Ik krijg bijna medelijden met hem en besluit om hem niet langer op stang te jagen. Dat lukt me aardig door over koetjes en kalfjes te praten of gewoon zwijgend te genieten van de maaltijd, het biertje, de vallende avond, zelfs de drukte. En het gezelschap van Eva.

Om de pil helemaal te vergulden, stel ik David bij het afscheid voor om de volgende ochtend samen te gaan joggen. Uiteraard slaat hij dat aanbod niet af. Eva maakt geen schampere opmerking en belooft zelfs voor een stevig en uitgebalanceerd ontbijt te zorgen. Als een echte voetbalvrouw! Komediante!

Als ik in bed duik, brandt Eva's afscheidskus nog steeds op mijn wang en vult haar parfum nog altijd mijn neus. Haar guitige lach weerklinkt in mijn oren en haar betoverende blik heeft zich op mijn netvlies gebrand. Ik voel ook op mijn been de plek waar haar knie me een aantal keer heeft geraakt. Toevallig natuurlijk. Of niet?

9.

'Overdrijf je niet een beetje?'
Ik houd hijgend halt nadat we nauwelijks een kilometer hebben gejogd op een niet eens zo zwaar parcours door de duinen. Ik heb niet goed geslapen, vooral door de tosti die me maagklachten heeft bezorgd. Maar ook het biertje was achteraf gezien behoorlijk zwaar. Ik voel me ellendig. Alsof ik in het diepe ben gesprongen zonder te kunnen zwemmen. David had gelijk, een sportman zou beter moeten weten. Maar misschien wil ik geen sportman meer zijn. Wat wil ik eigenlijk?
'We zijn pas tien minuten bezig,' zegt David terwijl ik, met mijn handen steunend op mijn knieën, sta te hijgen als een hond die op een konijn heeft gejaagd.
'Ik bedoelde met Eva en je voetballen,' stotter ik.
Ik kijk David aan. Hun wederzijdse sneren zijn me, net als de maaltijd, op de maag blijven liggen.
David haalt de schouders op. 'Ach, meiden willen alleen maar op het strand liggen...'
Eva lijkt me niet bepaald een zonneklopper, bedenk ik.
'... flutboekjes lezen...'
Dat was een stapel stevige boeken, vriend!

'... pootjebaden in de branding...'

Heerlijk toch?

'... gaan shoppen...'

Dat geldt voor alle vrouwen heb ik intussen geleerd.

'... een cocktail drinken...'

Een mengeling van munt- en lindethee misschien?

'... allemaal niets voor mij, dat weet je toch,' rondt David zijn monoloog af.

Ja, dat weet ik.

Ik richt me op terwijl ik nog steeds naar adem hap. 'Dat is ook niet bepaald mijn ding, maar als je een vriendin hebt, dan moet je soms meegaan in haar keuzes. Dat is een kwestie van evenwicht.'

David zucht hard.

'Ga een keertje met Eva shoppen. Dat vindt ze vast leuk,' stel ik voor.

Waarom sta ik hier relatietherapeut te spelen? Wil ik opeens dat het goed gaat tussen die twee?

Ik zie dat David amper gelooft wat hij hoort.

'Misschien vind je het nog leuk ook en vind je nog iets voor jezelf,' probeer ik hem te stimuleren.

David denkt na. 'Ik zou nieuwe voetbalschoenen kunnen kopen, dan hoef ik me daar geen zorgen meer over te maken als de trainingen herbeginnen.'

'David!' roep ik uit.

Hij snapt gelukkig meteen dat hij zichzelf zo echt in nesten werkt.

'Oeps! Gele kaart?'

'En de volgende keer rood!' voeg ik er vastberaden aan toe.

'Je zou trainer moeten worden,' zegt David lachend.

'Ik heb mijn handen vol aan jou, een hele ploeg lijkt me net iets te veel,' mopper ik.

We zetten onze tocht voort. Het voelt alsof ik door mul zand ren. Gelukkig laat David me het tempo aangeven. Maar het wordt hoe langer hoe meer een slakkengang. Het dieptepunt van mijn lijdensweg wordt gemarkeerd door twee dames op leeftijd die ons gezwind voorbijsnellen.

'Krasse knarren,' zegt David, die er fris uitziet, alsof we een ochtendwandelingetje maken.

Ik ben uitgeput en kreun opgelucht als ik het appartement waar David en Eva logeren binnenstrompel.

Het is een overweldigend groot appartement, op de bovenste verdieping van een modern gebouw, met een weids uitzicht over het strand, het kuststadje en het achterland. In de woonkamer kun je bij wijze van spreken minivoetbal spelen, in de open keuken koken voor een leger. Er zijn vier slaapkamers en twee badkamers.

Twee deuren staan open. Ik herken op het bed van de ene kamer kleding van David. Zijn schoenen liggen in een hoek. Op het nachtkastje slingeren sportmagazines.

In de andere kamer zijn geen rondslingerende kleren te bekennen. Ik zie alleen Eva's witte schoenen netjes in een hoek.

Aparte kamers, weerklinken Eva's woorden door mijn hoofd.

De badkamer is zo groot dat je er een echo in kunt horen. Ik stel me spontaan de vraag hoeveel inkomsten van de club naast de kassa belanden en naar dit appartement rollen? De outfit van kabouter Plop heeft ongetwijfeld vele en diepe zakken.

David is in een wip klaar met douchen. Ik blijf zo lang onder de douche staan dat hij me komt vragen om water over te laten voor andere kustgangers. Het water spoelt mijn vermoeidheid maar gedeeltelijk weg.

Als ik de woonkamer inloop, zitten David en Eva al aan tafel. David ziet er fris en uitgerust uit en ook Eva ziet er vrolijk en monter uit. Ik fleur er zelf helemaal van op.

Eva heeft een heerlijk ontbijt klaargemaakt, met vers sinaasappelsap, krokant geroosterd brood, suikervrije confituur, ontbijtgranen, fruitsalade, mager beleg en – uiteraard – muntthee, al verkies ik deze keer, net als David, koffie.

Halverwege het ontbijt, biept Davids telefoon. Hij schrikt als hij de naam van de beller ziet. David neemt op en haast zich naar de verste kamer.

Meteen maakt Eva's opgewektheid plaats voor een sombere bui.

Ik eet voort, maak haar nog wat complimentjes over het

eten, maar besef al gauw dat Eva met haar gedachten niet meer bij het ontbijt, of bij mij, is.

'Wie was dat?' vraagt ze, zodra David terug in de kamer is. David wordt onmiskenbaar rood. 'Niets bijzonders. Zullen we samen gaan shoppen?'

Ik geloof mijn oren niet. Ook Eva is verrast door die suggestie, en de spanning neemt een beetje af.

Ik neem afscheid. Na lang aandringen van David en vooral de vragende blik van Eva, stem ik ermee in om 's avonds opnieuw samen te eten.

Op weg naar mijn appartement, lijkt het alsof er een engeltje op mijn ene schouder zit en een duiveltje op de andere. Het duiveltje fluistert dat ik ook moet gaan shoppen. Dat ik in hun buurt moet blijven. Het engeltje raadt me aan om te gaan zonnen en een paar uur niet aan Eva en David te denken.

In het appartement, negeer ik tante Mia's instructie en loop met mijn schoenen aan naar mijn kamer. Ik trek een zwembroek, een short, een T-shirt en strandslippers aan, stop een drankje, een snack en mijn boek in mijn rugzak en ga naar het strand. Het is er nog rustig. Ik leg mijn spullen neer en duik de zee in. Ik zwem alsof mijn leven ervan afhangt. Alsof ik naar de andere kant van het water wil. Waar ben ik mee bezig? Een half uur later laat ik mij uitgeput op het strand zakken.

'Lekker geshopt?' vraag ik als we op een terras zitten, om de beurt of tegelijk nippend aan ons drankje.

Achter ons kleurt de ondergaande zon de hemel rood. Het is veel minder druk dan gisteren en af en toe komt het geluid van de golven zelfs tot over de duin die het strand van de promenade en de terrasjes scheidt. De ideale achtergrond voor een gezellige avond onder vrienden, maar er hangt net iets te veel spanning in de lucht. Het duiveltje op mijn schouder is meteen in zijn nopjes. Ik leg hem in gedachten het zwijgen op.

'Viel mee,' antwoordt David flauw.

'Iets leuks gevonden?'

David knikt, terwijl Eva me fronsend aankijkt. Er gaat een schok door me heen. David heeft toch geen voetbalschoenen gekocht?

'En jij Eva, ook iets leuks gevonden?' probeer ik die gedachte te bannen.

'Iets heel leuks,' zegt Eva.

Haar schampere toontje en de stekelige blik naar David laten aan duidelijkheid weinig te wensen over.

'Vooral iets heel duurs,' sneert David.

'Dat heb ik dan wel verdiend,' antwoordt Eva bits.

Hij heeft voetbalschoenen gekocht!

Het opbod aan sneren en bliksemende ogen wordt afgebroken door de komst van de ober die twee slaatjes en een krokant broodje met ontvette ham, zonder mayonaise op de tafel zet. Zelfs het abnormale went.

We eten in stilte, praten daarna alleen nog over koetjes en kalfjes. Ik heb uiteindelijk geen zin meer om nog als doorgeefluik of gespreksanimator te fungeren en bedenk een excuus om afscheid te kunnen nemen: *Het gezelschap van leugenaars* wacht, en dat is niet eens gelogen.

'Hé, je komt morgen toch kijken,' roept David me nog na.

Ik kijk hem vragend aan.

'Ik speel morgen een partijtje op het strand.'

Ik kijk in een reflex naar Eva. Dat telefoontje vanochtend, begrijp ik.

'Euh... zeker, zeker,' zeg ik mechanisch.

'Tien uur,' zegt David.

'Tien uur,' herhaal ik.

'Kun je Eva oppikken?' vraagt David. 'Ik heb met mijn team afgesproken om negen uur.'

Er gaat even een schok door me heen. 'Geen probleem,' zeg ik hees. 'Hoe laat?' vraag ik aan Eva.

'Niet te vroeg,' antwoordt ze. 'Ik wil uitslapen. Ik kwam om te rusten en te genieten!'

'Half tien?' stel ik voor.

'Kwart voor tien!' beslist Eva.

'Als ze dan nog slaapt, sleur je haar maar uit bed,' zegt David.

Hij krijgt de zoveelste bliksemblik van Eva.

'Of kus haar wakker!' voegt hij eraan toe. 'Zoals de prins

bij Sneeuwwitje!'
Heeft David zijn eerste boek al gelezen? Een sprookje?
'Ha, ha,' reageert Eva, maar de blos die op haar wangen
verschijnt ontgaat me niet.

Mijn prinses, bedenk ik op weg naar tante Mia's appartement.
'Zijn prinses,' fluistert het engeltje op mijn schouder.

10.

Ik druk voor de derde keer op de bel. Geen reactie. Natuurlijk niet. Ik ben veel te vroeg. Het is niet eens half tien. Slaapt Eva nog? Moet ik haar uit bed sleuren of... wakker kussen?

'Idioot!' zeg ik tegen mezelf. Ik kijk om me heen. Stel je voor dat iemand mij hoort.

Hoe zou ik Eva kunnen wakker kussen? Ik geraak niet eens binnen. Zal ik nog eens aanbellen? Over een kwartiertje terugkomen? Had ze niet gezegd dat ik niet voor kwart voor tien mocht opdagen?

Net als ik naar buiten wil lopen, zoemt de deur open. Ik neem de lift naar de bovenste verdieping. De deur van het appartement staat op een kier. Ik kijk in Eva's slaperige ogen.

'Goedemorgen,' zeg ik opgewekt.

'Mmm,' klinkt het sloom. Eva gebaart dat ik mag binnenkomen.

Een seconde later loop ik rood aan. Eva draagt een T-shirtje tot onder haar billen en bij elke beweging zie ik haar slipje. Ik weet niet waar te kijken.

Eva merkt natuurlijk mijn gêne en glimlacht.

'Sorry, hoor,' zegt ze terwijl ze het T-shirt lager probeert te trekken. 'Ik ben nog niet klaar, het is nog geen half tien.'

'Je bent tenminste al wakker,' probeer ik stoer. 'Dan hoef ik je alvast niet wakker te kussen.'

Ik heb een gave voor idiote uitspraken...

'Mmm,' reageert Eva. 'Ga maar zitten,' wijst ze naar de sofa. 'Ik ben zo klaar.'

Mijn ogen volgen haar tot ze in de gang verdwijnt. Mijn hart bonkt en mijn keel zit vol prikkeldraad. Ik blader wat in een voetbalmagazine, maar zie op elke bladzijde Eva in haar korte shirtje. Ik probeer aan iets anders te denken. De Mount Everest beklimmen lijkt me op dit moment makkelijker.

Als Eva de kamer binnenkomt, stokt mijn adem. Ze is helemaal in het wit. Ze draagt een nauwsluitende short, een mouwloos T-shirt met fonkelende sterren, en modieuze sandaaltjes.

Haar lange haar danst over haar schouders. Haar ogen zijn perfect opgemaakt, haar lippen glanzen.

'Mijn nieuwe outfit!' zegt ze terwijl ze als een mannequin naar me toe wiegt. 'Wat vind je ervan?'

'Iedereen zal naar jou kijken in plaats van naar de wedstrijd.'

Dat kwam er tot mijn opluchting best gladjes uit.

'David laat zich niet afleiden,' antwoordt Eva. 'De kleren zijn trouwens een cadeau van hem.'

Eva loopt naar de tafel en neemt een slok koffie.

'Bweuk! Koud! En geen tijd meer voor verse!'

Ik kijk geschrokken op mijn horloge. De tijd vliegt.

'Moet je niet ontbijten?'

Eva steekt haar hand in een doos op de tafel en vist er een speculaaskoekje uit. Ze bijt de helft ervan af en mikt de andere helft terug in de doos.

'Ontbeten!' klinkt het.

Ze graait een bos sleutels mee, een wit jasje en loopt naar de deur. Ik volg haar.

'Eva, ik moet je iets bekennen,' begin ik aarzelend.

Ze kijkt me vragend aan.

'David heeft gisteren voetbalschoenen gekocht, toch?'

Eva lacht zuur.

'Mijn schuld,' beken ik. Ik voel me als een kind dat betrapt is met zijn hand in de koekjesdoos. 'Ik heb David aangeraden met je te gaan winkelen, het leek me een goed idee dat jullie samen iets zouden gaan doen.'

Eva fronst het voorhoofd.

'Maar hij heeft de bedoeling niet helemaal begrepen, vrees ik.'

Eva zucht. 'David zou die schoenen toch hebben gekocht. Gisteren, vandaag, of morgen. Of een voetbalshirt, een broek of een nieuw trainingspak.' De frustratie echoot in haar stem. 'Ik bewonder je eerlijkheid, je bezorgdheid en je vriendschap voor David,' zegt Eva dan. 'Je bent een goede vriend.'

Gelukkig weet hij niet dat ik een hoofd vol Eva heb, bedenk ik. Ja, ik ben een fantastische vriend.

Zwijgend lopen we deur uit.

'Eindelijk!' roept David als hij ons in de gaten krijgt. 'De wedstrijd gaat beginnen!'

'Wakker kussen duurt langer dan je denkt!' antwoordt Eva zonder verpinken.

David kijkt haar verbijsterd aan. Ik schrik me rot.

'Grapje!' zegt Eva opgewekt.

David lacht zuur en kijkt mij vragend aan. Ik haal de schouders op.

Het gezelschap van leugenaars, flitst het door mijn hoofd...

11.

Na vijf minuten is duidelijk dat David over de beste techniek beschikt en het grootste uithoudingsvermogen en de meeste ambitie heeft. De ploeg die hem heeft ingelijfd juicht waarschijnlijk al, de teams die hem hebben afgewezen zullen zich dat beklagen.

Het is een saaie wedstrijd, ondanks enkele hoogstandjes van David. Mijn gedachten dwalen voortdurend af. 'Je bent een goede vriend.' De woorden galmen door mijn hoofd. Ik weet nu wat mensen bedoelen met *hopeloos* verliefd! En tegelijkertijd voel ik mij een judas.

Het fluitsignaal dat de rust aankondigt, doet me opschrikken.

'Ik dacht dat ik de enige was die niet met zijn hoofd bij de wedstrijd zat,' plaagt Eva.

Ik wil haar niet aankijken. 'Ach,' mompel ik.

'Zullen we iets gaan drinken?' stelt Eva voor.

'Er is bijna geen plaats meer,' antwoord ik met een gebaar naar de volle terrasjes.

'Laten we weggaan,' zegt Eva. 'Hier wordt toch alleen maar over voetbal gepraat. We zoeken een terrasje langs de zeedijk.'

'En David?' vraag ik.

Aan de overkant, staat David druk te praten met zijn ploegmakkers, af en toe nippend van een energiedrank.

'Die is ons allang vergeten,' zegt Eva.

We zoeken een tafeltje onder een grote parasol op een terras vol bloemen. Het is rustig op de zeedijk en we worden meteen bediend. We bestellen muntthee voor twee.

'Jij houdt echt niet van voetbal, hè?' zeg ik terwijl de dampende thee voor ons wordt neergezet.

Eva zucht en leunt achteruit in haar stoel.

'Hoe heb je David dan ontmoet? Hij staat bijna altijd op het veld!' Ik sta zelf te kijken van mijn voortvarendheid.

'Ik heb David ontmoet op het verjaardagsfeest van zijn zus, Britt,' vertelt ze. 'We zitten in dezelfde klas.'

Ik kan mezelf wel voor het hoofd slaan. Ik was ook uitgenodigd, maar ik ben naar de première van een theaterstuk gegaan.

De ober brengt een bordje met twee stukken cake. Gratis, van de zaak.

'Dankjewel,' lacht Eva lief.

Volgens mij kan ze, als ze wil, zo een zesgangenmenu voor ons versieren.

'Het was dus een leuk feestje,' besluit ik nadat ik een flinke hap cake doorgeslikt heb.

'Ach, veel voetballers, en dus veel geleuter en nog meer opschepperij,' antwoordt Eva. 'Ik verveelde me dood en wilde vroeg naar huis. Op een of andere manier heeft David dat gemerkt en...'

'... van het ene kwam het andere,' voeg ik eraan toe.

Eva nipt van haar thee en knabbelt zuinig aan haar cake.

'Weet je dat David die avond niet eens over voetbal heeft gepraat,' gaat ze verder.

Ik verslik me haast. Eva giechelt.

'Ik snap je verbazing,' zegt ze dan. 'Dat was waarschijnlijk de eerste en enige keer dat het niet over voetbal ging.'

'Je hebt indruk gemaakt,' weet ik.

'Waarschijnlijk ook de eerste en enige keer,' klinkt het gelaten.

Ik schrik.

'Hij is verliefd op je,' zeg ik.

Eva schokschoudert. 'Dat vraag ik me af. Voetbal is zijn grote en misschien wel enige liefde.'

We nemen zwijgend een slok van onze thee en een hap van de cake.

Als hun trip naar zee bedoeld was om hun relatie te redden, dan lijkt dat niet echt te lukken.

'Waarvan hou jij nog, behalve van boeken?' vraag ik.

Hou op met vragen, gaat het door mijn hoofd, je gaat haar alleen maar geweldiger vinden.

'Ik ga graag naar het theater,' zegt Eva.

Je bent volmaakt, gaat het door mijn hoofd.

Ik vertel naar welke voorstelling ik op de avond van Britts

feest ben geweest.

'Daar wou ik ook heen, maar de voorstelling was uitverkocht,' zucht Eva.

Ik zucht, waarom ben ik niet gewoon naar dat rotfeest gegaan, dan was ik nu misschien met Eva samen.

'Theater is fantastisch,' mijmert Eva. 'Woorden leven inblazen. Laten horen, laten zien, laten meevoelen.'

Ik knik en stel mij voor hoe Eva en ik samen van een toneelstuk genieten.

'Hoe ver zit je in je boek?' vraag ik dan.

Eva heeft haar achterstand ingehaald. We bedenken meteen wilde theorieën over het verdere verloop, mogelijke intriges en de uiteindelijke afloop.

'Later wil ik dat ook doen, creatief bezig zijn. Ik droom ervan om schrijfster te worden,' zegt ze. 'Waar droom jij van, Alex?'

'Ik word theateracteur,' antwoord ik zonder nadenken. Ik sta er zelf van te kijken. Ik besef opeens dat ik dat misschien echt graag wil. Wat er allemaal in het hoofd van een mens gebeurt als hij even niet aan voetbal denkt.

'Ik schrijf de dialogen, jij blaast ze leven in. We zouden een mooi stel zijn,' lacht Eva.

Ik forceer een glimlach, mijn hart doet pijn. Even heb ik het gevoel dat ik stik.

De meeste dromen zijn bedrog, zingt Marco Borsato in de verte.

'Ik denk dat dit mooie stel nu maar beter opstapt,' tik ik op mijn horloge, 'voor iemand achterdochtig wordt.'

Met zichtbare tegenzin schuift Eva haar stoel achteruit. We komen aan op het strand als het laatste fluitsignaal weerklinkt. David en zijn maten geven elkaar een stevige *high five* en nemen juichend een overweldigend applaus in ontvangst.

'Wat een geweldige tweede helft, niet? Hebben jullie genoten?' vraagt David als hij ons gevonden heeft.

'Fan-tas-tisch!' antwoordt Eva zonder verpinken.

'Echt *a piece of cake!*'[1] knik ik.

Eva heeft de grap meteen door, ik zie dat ze moeite heeft om niet in lachen uit te barsten.

Ik zoek afleiding in de omgeving. Mijn oog valt op een boek op een gestreept strandlaken. Er gaat een schok door me heen als ik de titel lees: *Het gezelschap van leugenaars.*

Als David zich opgefrist heeft, gaan we samen eten. Ondanks de drukte, vinden we een tafel. Eva bestelt een slaatje en de onvermijdelijke thee, ik houd het bij een broodje ham en een glaasje water. David bestelt een grote spaghetti en dito cola. Ik kijk hem verbaasd aan. Hij moet straks toch nog spelen?

'Om extra kracht op te doen,' zegt hij neutraal. 'Strandvoetbal is veel zwaarder dan gewoon voetbal.'

Ik geloof er niets van. Waarvoor heeft hij die extra energie echt nodig?

[1] Engelse uitdrukking. Letterlijk: een stukje taart. Figuurlijk: een makkie.

Ik krijg antwoord op die vraag tijdens de tweede wedstrijd. In tegenstelling tot vanochtend, toen David heel geconcentreerd aan het spelen was, kijkt hij nu voortdurend onze kant uit. Hij verdeelt zijn aandacht afwisselend tussen de wedstrijd en ons. Dat moet een hoop energie vergen. Heeft hij daarvoor extra krachten opgedaan? Hij weet het, denk ik. Hij weet dat ik voor zijn vriendin val.

Ik voel me een beetje misselijk. David is mijn vriend. Ben ik nog zijn vriend?

Ook de tweede wedstrijd wordt gewonnen, ondanks een paar flaters van David. Na de wedstrijd, vraagt hij of ik meega naar hun appartement.

Mijn schuldgevoel groeit, ik ben een judas en hij blijft galant.

Ik weet het allemaal niet meer en zeg dat ik te moe ben, dat ik te lang in de zon heb gestaan en gewoon even alleen wil zijn met een goed boek. Ik besef dat ik zowel een excuus opdis als probeer te scoren bij Eva. Ik ben een rotzak.

Ik neem afscheid van Eva en David en beloof om ook naar de volgende wedstrijden te komen kijken.

Ik wandel naar tante Mia's appartement, neem een koude douche en ga op bed liggen. Ik probeer mijn hoofd leeg te maken, maar het is net alsof er een diaprojector aan het werk is. Beelden van Eva wisselen af met beelden van David. Ik besef dat ik verliefder ben dan ooit. Ik sta op en ga nog even onder de douche. Het helpt niet.

Ik probeer mijn boek te lezen. Het lukt niet.

Ik durf de flat niet te verlaten, want ik wil David en Eva niet tegen het lijf lopen. Ik stop me, uit pure frustratie, vol met boterhammen met chocopasta en drink een sloot cola. Maag- en darmkrampen brengen de afleiding die ik nodig heb. En de straf die ik verdien.

Als mijn spijsverteringsstelsel eindelijk wat tot rust komt, besluit ik om nog een strandwandeling te maken. Misschien geven de ondergaande zon, de zachte bries, het kabbelende water, de eindeloosheid van de zee me de nodige rust.

12.

Op het strand voel ik me klein en eenzaam.

Ik blijf staan, peuter een paar keitjes uit het zand en probeer ze over het water te doen stuiteren. Ik ben daar doorgaans heel goed in, maar nu lukt het me niet.

'Shit! Shit! Shit!' roep ik uit.

Een opa, die met zijn kleinzoon een vlieger probeert op te laten, kijkt me geschokt aan.

Ik trek een verontschuldigend gezicht en keil de keitjes die ik nog in mijn hand heb grommend de zee in.

'Problemen?' klinkt het achter me.

Met een ruk draai ik me om. Eva zit aan de voet van een duin.

'Wat doe jij hier?' roep ik verschrikt uit.

'David hangt al een uur met zijn vader aan de telefoon.' Haar stem klinkt hees van woede.

'Jij ziet er ook niet erg vrolijk uit,' zegt ze dan.

Ik laat me naast haar in het zand zakken. Mijn lijf voelt loodzwaar.

'Ach,' antwoord ik.

Ik trek mijn knieën op en kijk naar de opa en zijn kleinzoon, die hun vlieger eindelijk in de lucht krijgen. Een vertederend tafereel.

'Zo simpel kan het leven zijn,' zucht ik.

'... als je Marlon Brando heet,' zegt Eva.

Ik kijk haar vragend aan.

'Dat komt uit een liedje van Clouseau,' zegt Eva. "Wat is het leven simpel als je Marlon Brando heet".'

'Leuk voor Marlon Brando, maar als je Alex heet, is het leven knap ingewikkeld,' zeg ik.

Eva knikt.

En nu zitten we hier. Weer samen. Wat moeten we?

Ik neem een schelp en trek er cirkels mee in het zand. Rond en rond en rond. Zonder begin, zonder einde. David, Eva en ik. Iemand moet de cirkel doorbreken, denk ik. Iemand die bereid is om een ander te kwetsen.

'David keek steeds onze kant uit tijdens de tweede wedstrijd. Alsof hij ons in het oog hield,' zeg ik en ik verkruimel de schelp.

Eva knikt aarzelend.

'Hij was boos,' zegt ze dan.

Ik kijk haar verbaasd aan.

'Ik heb gezegd dat we naar een rustig terras aan de promenade zijn gegaan omdat ik het te druk vond aan het strand,' begint Eva. 'Ik heb gezegd dat we aan de praat zijn geraakt over theater en literatuur en dat we de tijd uit het oog hebben verloren. En zo was het toch ook.'

Ja, zo was het, maar was het alleen maar dat?

'Maar ik had even goed kunnen zeggen dat we Amerika hebben ontdekt, een landing op de maan hebben gemaakt en de ringen van Saturnus onderzocht,' voegt Eva er dramatisch aan toe.

Ik grinnik. Ik heb nu al zin om haar teksten te lezen.

'Dan is hij dus nog steeds boos,' zeg ik.

Eva haalt de schouders op.

'Ik heb de vijand met zijn eigens wapens verslagen.'

Zij maakt net geen overwinningsgebaar. Ik schrik omdat ze David bombardeert tot vijand.

'Ik heb hem gezegd dat hij de tijd ook uit het oog verliest als het over voetbal gaat.'

Dat is natuurlijk helemaal waar.

'Ik heb gezegd dat ik gelogen heb om hem niet uit zijn concentratie te brengen, dat zijn boosheid bewees dat ik gelijk had. Het was een leugen om bestwil. Al heeft die een omgekeerd effect gehad.'

Het zit me niet lekker dat ze zoveel moeite heeft gedaan om David te overtuigen. Moest ze zichzelf ook overtuigen?

'En ik heb hem ook gezegd dat hij jou niets kwalijk mag nemen, dat ik als eerste loog waardoor jij weinig keuze had.'

Weinig keuze, maar toch, keuze.

Mijn telefoon rinkelt.

'Het is David!' schrik ik.

Eva hapt naar adem.

'Dag David,' begin ik aarzelend.

Eva kijkt gespannen toe. Ik sta op en begin als een kip in een ren rondjes te lopen.

'Waar ik ben?' herhaal ik Davids vraag. 'Op het strand.'

'Wat ik aan het doen ben? Aan het uitwaaien, al staat er niet zoveel wind.'

'Of er nog volk is? Een opa en zijn kleinzoon laten een vlieger op.'

'Als ik een papegaai wil, koop ik er wel een,' klinkt het aan de andere kant van de lijn.

Er valt een stilte.

'David, het spijt me van de wedstrijd, we hadden de tijd uit het oog verloren. Je kent me, als het over boeken en theater gaat...' zeg ik dan.

Even blijft het stil aan de andere kant.

'Goed, goed,' klinkt het dan wat kalmer.

We besluiten het hele voorval te vergeten onder het motto dat zelfs de beste voetballer wel eens een rode kaart krijgt.

Ik schrik behoorlijk als David een laatste vraag stelt.

'Of ik Eva heb gezien?' herhaal ik mechanisch.

Eva veert op en schudt haar hoofd.

'Nee... is ze niet bij jou dan?' stotter ik. 'Of ik morgen naar de wedstrijd kom?'

Eva knikt.

'Ja... ja, natuurlijk.'

'Of ik Eva kan oppikken? Geen probleem,' zeg ik beslist.

We nemen afscheid.

Eva ploft in het zand. Ik laat me naast haar neerzakken.

'Waarom mag David niet weten dat je bij me bent? Het wordt me zo ingewikkeld,' breek ik de stilte.

Eva wendt haar blik af. 'Een leugentje om bestwil?'

Ik kan er niet om lachen. 'We moeten uitkijken dat dit scenario niet uit de hand loopt. Ik ben bang om uit mijn rol te vallen,' zeg ik.

Welke rol, vraag ik me af. Die van bedrieger? En bedrieg ik mezelf niet het meest? Voelt ze iets voor me of beeld ik het me allemaal in?

Eva buigt zich naar me toe en geeft me een zoen op mijn wang.

Een ogenblik lang kijken we elkaar aan. Er gaat een bliksemschicht door me heen en ik loop rood aan. Ook op Eva's wangen verschijnt er een blos. Ze springt op en verdwijnt.

Ik blijf achter en staar naar het laatste zonlicht dat de horizon nu helrood kleurt. De opa en de kleinzoon spelen een schimmenspel tegen dat decor.

Hemel en hel raken elkaar.

13.

Met een wee gevoel in mijn maag ga ik naar bed.

Niet tegen David zeggen. Niets tegen David zeggen.

Is ze ook verliefd op mij? Die kus. Die blik. Die blos. Die vlucht!

David doemt de hele nacht in mijn dromen op als een verraden vriend en bedrogen minnaar. In mijn nachtmerries staan we tegenover elkaar. Hij ramt me in elkaar en ik heb het gevoel dat ik elke slag verdien.

Ik zie sterren en hoor gezoem, belgerinkel en gebonk. Ik open moeizaam mijn ogen. Ik lig naast mijn bed op de grond. Het is iets over negen. Mijn god, zelfs in mijn slaap krijg ik geen rust.

Gebonk op de deur...

Ik kom wankelend overeind. Is David gekomen, worden mijn nachtmerries werkelijkheid?

14.

'Slaapkop!' lacht Eva als ik de deur open.

'Wat doe jij hier? Ik zou jou toch komen...'

Wakker kussen, gaat het door mijn hoofd.

'... oppikken!' maak ik mijn zin af.

Eva haalt de schouders op. 'David is naar huis!'

Ik schrik. 'Naar huis?'

Heeft hij ook nachtmerries gehad? Hebben zijn dromen hem op de vlucht gejaagd?

'Mag ik binnenkomen?' Ze giechelt, ik volg haar blik en besef dat ik in mijn dalmatiërsslipje sta.

'Mijn favoriete slipje,' zegt Eva ondeugend.

'Waarom is David naar huis?' vraag ik kortaf.

Eva begrijpt onmiddellijk dat ik niet in de stemming ben voor grapjes.

'Ga je wassen en aankleden. Ik maak koffie en ontbijt. We moeten praten.'

Ik breek het snelheidsrecord wassen en aankleden.

'Waarom is David naar huis?' vraag ik opnieuw als ik weer in de woonkamer sta.

Eva wijst naar een stoel. Ik zucht van ongeduld en ga zitten. Dit gedoe voorspelt niet veel goeds. Wie wordt de klos, vraag ik me af.

Eva zet twee koppen op de tafel en schenkt dampende koffie in.

'Wat is er met je neus gebeurd?' vraagt ze als ze ook gaat zitten.

In een reflex voel ik aan mijn neus. Als ik de toppen van mijn vingers bekijk, zie ik minuscule klontertjes gestold bloed. Alsof ik gevochten heb.

'Ik ben uit mijn bed gevallen.'

Eva streelt even over mijn wang.

'Arme jongen,' fluistert ze.

Ik laat me niet afleiden. 'Eva, ik word gek, vertel eindelijk wat er aan de hand is!'

Mijn hele lichaam trilt. Ik neem een grote slok koffie, maar dat heeft niet meteen een kalmerend effect.

'David heeft gisteren tot een stuk in de nacht met zijn vader gebeld.'

Dat wordt een dure rekening, denk ik automatisch. 'Waarover hadden ze het zo lang?'

Eva haalt de schouders op. 'Dat kon ik niet horen. Ik ben in slaap gevallen. Ik weet niet wanneer dat gesprek geëindigd is en wanneer David in bed gekropen is.'

'En vanochtend?' vraag ik.

Heeft ze vanochtend verteld dat we samen op het strand waren? Of had David gisteren toch iets in de gaten en heeft hij raad gevraagd aan zijn vader, als altijd?

'Hij is heel vroeg opgestaan. Misschien heeft hij helemaal niet geslapen,' zegt Eva. 'Ik werd wakker van het lawaai.'

Ik neem een slok van mijn koffie en wens in stilte dat ze snel tot een punt komt.

'Hij verontschuldigde zich voor het kabaal, zei dat hij me niet wilde wekken en van plan was om een briefje achter te laten.'

Mijn mond valt open. Een afscheidsbrief?

'Welke brief? Voor wie? Waarom?'

'Zijn vader is gecontacteerd door een profclub. Ze willen David een contract aanbieden!'

Dat is niet het antwoord dat ik had verwacht, of gehoopt.

'Wat?'

'Hij is met de trein naar huis en gaat samen met zijn vader onderhandelen,' zegt Eva.

Onderhandelen! Iemand anders zou al blij zijn met een minimumcontract. Maar zij gaan onderhandelen. Waarover? Liggen de bedragen voor minimumcontracten niet wettelijk vast? Waarover willen ze dan nog praten? Of hebben ze een achterpoortje gevonden om nog meer binnen te halen? Wie denken ze wel dat ze zijn? Wie denkt *hij* wel dat hij is? Ik word steeds bozer, ik snap zelf niet waarom ik me zo opwind.

'En het strandvoetbaltoernooi?' vraag ik. 'Er is een wedstrijd om tien uur.'

Ik kijk op de klok. Het is bijna half tien.

Eva kijkt me aan.

'David heeft gevraagd of jij...'

Ze aarzelt. Ik zet mijn kop met een klap neer. Eva schrikt ervan. Ik ook.

'Dat meen je niet! Ik heb hem toch gezegd dat ik even genoeg had van voetbal,' brul ik.

'Dat heb ik ook gezegd,' zegt Eva. 'Nood breekt wet, vond hij.'

Vergeven en vergeten, dacht ik bij mezelf. Dat zal wel. David weet natuurlijk dat ik niet nee kan zeggen als hij Eva als boodschapper stuurt.

'We zouden natuurlijk een leugentje kunnen verzinnen,' mompelt Eva.

'Nee,' reageer ik kordaat. 'Mijn hoofd ontploft als ik nog meer leugens vertel!'

'Ben ik met je eens,' klinkt het zacht. 'Voortaan alleen nog de waarheid.'

We kijken elkaar een paar eindeloze seconden aan.

Zal ik je eens iets vertellen? Een waarheid die mij langzaam wurgt, denk ik bij mezelf. En moet ook jij me niets bekennen? Ik word gek van al die onuitgesproken gevoelens.

Eva en ik staren naar de vele gele briefjes in de flat. Doe dit, doe dat! Heldere regels die je moet volgen, maar gedachten en gevoelens zijn niet altijd helder en niet altijd aan regels te onderwerpen.

'Hier ontbreekt nog een gele instructie,' zegt Eva dan.

Ik kijk haar vragend aan.

'Dat je geen vuile sokken mag laten slingeren!'

Ze graait onder de tafel en haalt de sokken tevoorschijn die ik gisteravond achteloos op de stoel heb achtergelaten.

'Net zo slordig als David,' zegt ze hoofdschuddend.

'Een goede partner kan dat oplossen.'

'Vergeet het maar.'

'Wij voetballers moeten nu eenmaal in de watten worden gelegd,' besluit ik met een zucht.

Ik kan nog net wegduiken voor de sokken die Eva naar mijn hoofd mikt...

15.

David heeft mijn komst al aangekondigd bij zijn ploegmakkers. Hij wist dus dat ik niet zou durven weigeren. Ik
bedenk dat ik David onderschat heb en dat hij kantjes
heeft waar ik niets van afweet. Maar dat geldt net zo goed
voor mij.
Mijn nieuwe ploegmakkers ontvangen me als een ster. Het
verplicht me om mijn beste beentje voor te zetten.
Tot mijn verbazing, speel ik echt goed. We scoren punt na
punt en winnen de wedstrijd.
Eva volgt de hele tijd de wedstrijd en moedigt me aan als
een echte supporter.
Dat heeft ze voor David nooit gedaan. Is het een teken?
Niet aan denken nu. Straks is er nog een wedstrijd.
In afwachting van de tweede wedstrijd trekken we, op
voorstel van Eva, naar een rustige plek aan het strand.
We lopen eerst nog even aan bij Davids appartement en
halen er een strandmat, een parasol en een koelbox. Op
weg naar het strand, kopen we broodjes en blikjes drank.
Eindelijk vlijen we ons neer op de strandmat, in de be-
schutte kuip tussen twee duinen. Eva onder de parasol, ik
in de zon.

Ik begin de inspanningen van de wedstrijd pijnlijk te voelen. Ik drink gulzig van mijn cola en neem een stevige hap van mijn broodje met ham, kaas en veel mayonaise.

'Is dat wel een goed idee, al die suiker en die vettigheid? David zou dat nooit doen,' zegt Eva bezorgd.

Er schiet me een vergelijking te binnen over bij de hond slapen en zijn vlooien krijgen.

Ik neem nog een flinke slok en een stevige hap. De mayonaise druipt van mijn kin. 'Ik moet mijn suikerspiegel weer op peil brengen en mijn vetreserves aanvullen of ik kan straks niet meer op mijn benen staan.'

Het is nauwelijks een leugen. Het lijkt alsof er met elke minuut die verstrijkt wat meer lood in mijn benen wordt gepompt.

'En als ik niet meer kan bewegen, zit jij hier de rest van de dag met mij opgescheept!' voeg ik eraan toe.

Ik kan niet stoppen met flirten.

Eva verslikt zich bijna.

'Dat zou pas vreselijk zijn,' antwoordt ze lachend.

Onze blikken worden naar elkaar toe gezogen. Wanneer gaan onze lippen dat eindelijk ook doen?

'Om die vreselijke situatie te voorkomen, drink ik dus cola en vreet mayonaise,' zeg ik. 'David verwacht dat ik scoor.'

Als een konijntje knabbelt Eva aan haar biobroodje met knapperige groentjes. Ze kijkt somber voor zich uit.

'Ik ben niet blij met de gang van zaken,' zegt ze.

Ik schrik. 'Het is toch fantastisch dat hij profvoetballer kan worden?'

Eva stopt met knabbelen. Ze heeft niet eens de helft van haar broodje opgegeten en stopt de rest in het zakje.

'Ik ben blij, voor hem. Maar hij zal nog meer trainen, nog meer wedstrijden spelen, altijd weg zijn.'

Ik knik begrijpend. 'Zo gaat dat nu eenmaal in het profvoetbal,' gooi ik nog wat koren op de molen.

'Dat weet ik. Dat begrijp ik. Maar ik weet niet of ik voetbalvrouw wil zijn. Wachtend tot mijn vriend een keertje tijd heeft. Altijd voetbalpraat, nooit eens tijd voor boeken of theater. Ach, ik weet niet meer wat ik wil. Het is een doolhof in mijn hoofd. Ik verdwaal honderd keer per dag in mijn eigen gedachten.'

Net als ik, bedenk ik.

Ze kijkt me vragend aan. Wat verwacht ze nu van mij? Ik stop snel het laatste stukje brood in mijn mond en slurp vervolgens mijn cola uit.

Ik ga op mijn rug liggen en staar naar de lucht.

Eva gaat op haar zij liggen en ondersteunt haar hoofd met haar arm.

'Ben jij wel eens hals over kop verliefd geworden?' vraagt ze zacht.

In mijn hoofd gaan alarmbelletjes rinkelen.

'Zoals iedereen,' antwoord ik droog.

Eva houdt haar ogen op mij gericht.

'Hoe voelde dat?'

'Verwarrend. Alsof je vliegt maar plots neersmakt. Alsof je in het diepe duikt maar ineens niet meer kan zwemmen. Hemel... en hel!'

Eva knikt.

'Hoelang is dat geleden?'

In mijn hoofd wordt het gerinkel oorverdovend. Moet ik nu een leugen om bestwil vertellen?

Ik kies voor de waarheid.

'Nog niet zo lang geleden,' antwoord ik.

Precies vijf dagen, bereken ik.

'Ik heb ooit een boek gelezen waarin liefde vergeleken wordt met een kaars. Je hebt een vlam nodig om ze aan te steken, de eerste vlammen schieten hoog op, maar nemen daarna snel normale proporties aan, en uiteindelijk brandt de kaars op en blijft er alleen smurrie achter.'

'Die schrijver heeft vast ooit een flinke ontgoocheling opgelopen,' zegt Eva.

'Hoe zou jij liefde beschrijven?' wil ik weten.

'Voor mij lijkt liefde een ballon, die je eerst hard opblaast, die snel en hoog gaat zweven, maar toch langzaam leegloopt en uiteindelijk ergens als een stuk afval achterblijft.'

'Dat klinkt ook als een ontgoocheling,' zeg ik.

Ze knikt.

'Misschien is liefde wel een *magische* ballon,' probeer ik, 'die snel en hoog gaat en fascinerende, onvoorspelbare bewegingen maakt en die af en toe wel dreigt neer te storten, maar dan toch weer die magische kracht vindt om hoog en heerlijk te zweven!'

'Ik vind het zo fijn om met jou over die dingen te praten,' zegt Eva dan. 'Met David kan dat niet, dat is me deze week wel heel duidelijk geworden,' voegt ze er bitter aan toe.

'David zou liefde waarschijnlijk vergelijken met een of andere voetbalsituatie,' zeg ik. 'Je mag hem dat niet kwalijk nemen.'

'Dat probeer ik, en ik wil hem begrijpen, maar het lijkt niet echt te lukken. Hij lijkt mij ook niet te begrijpen. Ben je blij voor David?' vraagt ze dan, terwijl ze plukjes uit het strandmatje pulkt.

Ik frons mijn voorhoofd. 'Natuurlijk ben ik blij. Hij is piepjong en lijkt met gemak zijn dromen waar te maken. Ik sukkel wat af,' antwoord ik geheel naar waarheid. Tegelijkertijd voel ik woede omhoog kolken. 'Maar...' Ik zwijg.

Eva haalt diep adem en kijkt me onderzoekend aan.

'Maar?' moedigt ze me aan.

Ik zucht diep. 'Maar ik vind het sneu dat David zo weinig beseft dat zijn succes ook te danken is aan de ploeg. In de krant en op tv, rept hij met geen woord over de prestaties van het team.' Papa heeft me krantenknipsels opgestuurd en de tv-reportage doorgemaild. 'Ik ken er een paar die daar bij de hervatting van de trainingen niet zo blij mee zullen zijn,' mompel ik.

Eva knikt.

'Ach, daar wil ik me nu niet druk over maken. Misschien hoef ik me daar zelfs helemaal nooit nog druk over te maken.'

'Klopt,' zegt Eva. 'David gaat waarschijnlijk elders spelen.'

'Dat bedoelde ik niet,' zeg ik.

Eva schrikt.

Ik draai me op mijn zij, mijn arm onder mijn hoofd. 'Ik weet niet of ik wil doorgaan met voetballen. In mijn hoofd is het net zo'n zootje als in dat van jou. Zoals ik net al zei, ik sukkel wat af.'

Eva bloost. Onze blikken vertellen weer eens alles, maar onze lippen blijven verzegeld.

We gaan op onze rug liggen, verliezen ons in onze eigen gedachten en vallen ten slotte door het hypnotiserend geruis van de zee in slaap.

'Wakker worden! Wakker worden!' schudt Eva hard aan me. 'Het is tien voor drie! De wedstrijd begint zo!'

Ik spring overeind.

'Ga maar! Voor je te laat bent. Ik kom wel!'

Ik spurt weg, slalom tussen ligstoelen en parasols, spring over putten en zandkastelen, struikel net niet over schopjes en emmertjes en... kinderen! Ik kom net op tijd bij het strandvoetbal aan.

'Wij vreesden al dat we zonder jou moesten spelen.'

'Even opgewarmd op het strand!' hijg ik.

Mijn teamgenoten kijken me aan alsof ik een marsmannetje ben.

Ik speel opnieuw behoorlijk. Het finale fluitsignaal komt als een bevrijding, maar we hebben gewonnen. Ik kreeg in de loop van de wedstrijd het gevoel dat we in drijfzand speelden. Ik moest vechten om niet weg te zinken.

Ik drink de cola die me aangereikt wordt in één teug op. Pas dan besef ik dat ik Eva niet heb gezien. Ik neem snel afscheid en loop terug naar de plek in de duinen.

Eva ligt te slapen. Ik voel me smelten. Mijn Schone Slaapster. Mag ik jouw droomprins zijn?

Ik kus haar wakker, denk ik bij mezelf. Ik streel haar wakker. Ik neem haar in mijn armen en loop met haar het water in. We laten ons meevoeren naar Atlantis, waar we nog lang en gelukkig zullen leven.

Ik schrik op van het geluid van een ballon die knalt en het daaropvolgende gejengel van een kind. Eva schrikt wakker.

'Gaat de wedstrijd niet door?' vraagt ze, terwijl ze op haar horloge kijkt. 'O nee! Ik ben weer ingedommeld!'

Schone Slaapster, denk ik bij mezelf.

Eva kijkt me bezorgd aan. 'Ben je boos?'

Ik probeer boos te kijken, maar dat lukt natuurlijk niet. Ik acteer zo slecht dat we beiden in de lach schieten.

'Het was een saaie wedstrijd,' besluit ik.

'Hoe kan ik het goedmaken?' vraagt Eva.

Door me te kussen, door me in je armen te nemen, door samen lang en gelukkig...

'Ik zal voor je koken,' zegt ze. 'Kom vanavond bij me eten.'

Ik kijk haar vragend aan. 'Bij jou? En David dan?'

Eva zucht terwijl ze het strandmatje oprolt. 'Ik heb een sms'je gekregen. David komt vanavond niet terug. De onderhandelingen zijn nog niet afgerond.'

'Stevige onderhandelingen,' zeg ik laconiek.

Wat zijn David en zijn vader aan het bekokstoven? Willen ze meteen een optrekje in Monaco of willen ze buren worden van David Beckham?

Eva houdt het strandmatje als een baby in haar armen. 'Ik denk dat die onderhandelingen wel zijn afgerond. David heeft een contract getekend. Hij weet alleen niet hoe hij me dat moet vertellen...'

'Je wurgt de strandmat,' mompel ik.

Eva bindt het matje tegen haar rugzak. Ik neem de parasol en de koelbox.

'Hij heeft me niet één keer gebeld! Tijdens zulke gesprekken, wordt er toch ook een pauze ingelast,' zegt Eva.

Ongetwijfeld.

'Misschien belt hij vanavond,' zeg ik. Mijn stem klinkt hol.

Eva schudt met het hoofd. 'Mijn telefoon gaat uit vanavond. Ik heb ook belangrijke dingen te doen!'

Eva haalt haar mobieltje tevoorschijn en schakelt het toe-

stel voor mijn neus uit. We lopen zwijgend naar de promenade en spreken af om zeven uur.

Ik wil vannacht bij je slapen, waait het lied van Clouseau
me tegemoet... Ik knik. Ik ben geen fan van Clouseau,
maar hun wens is de mijne en als die wens uitkomt, koop
ik al hun cd's.

16.

Om zeven uur bel ik aan.

'Wow!' roept Eva als ze me binnenlaat. 'Je ziet eruit alsof je van de catwalk komt.'

'Ik draag toch maar een gewone jeans, doordeweeks T-shirt en tweedehandse jack,' antwoord ik verbaasd.

'Ze zitten je als gegoten,' fluit Eva bewonderend.

Ik schiet in de lach. 'Hou op, straks ga ik nog blozen.'

'Een vleugje rood staat jou wel, dat vond ik de eerste avond dat we elkaar ontmoetten al,' plaagt Eva.

In mijn hoofd klinkt het geblaf van *101 dalmatiërs*. En ja hoor, ik bloos.

'En jij?' vraag ik, terwijl ik haar van top tot teen bekijk. 'Nog geen tijd gehad om te douchen en schone kleren aan te trekken?'

Eva trekt een grimas en gooit haar armen in de lucht. 'Het is een ramp,' zegt ze.

'Komt David toch terug?' vraag ik aarzelend. Een zwaar gevoel overvalt me, maar Eva schudt het hoofd.

'Nee, maar ik vrees dat ik niet voor je kan koken. Ik wilde boodschappen gaan doen, maar ik heb eerst nog mama gebeld. We hebben lang gekletst en ik heb de tijd uit het oog verloren.'

Ze ploft neer op de sofa. Ik maak een gebaar alsof ik het niet erg vind.

'Laten we een leuk terrasje uitzoeken,' stel ik voor.

'Het is daar overal zo druk en ik wil...'

Alleen met me zijn, droom ik.

'... het wel gezellig, maar vooral rustig houden,' klinkt het.

Ik knik gespeeld begrijpend.

'Maar er ligt niets in de koelkast waar ik iets mee kan,' zegt Eva.

'Mag ik?' vraag ik terwijl ik naar de keuken loop. Ik trek de koelkast open, ik doorzoek een paar kasten.

'Zal ik voor jou koken?'

Eva kijkt op. 'Nu? Hier? Hebben we iets in huis dan?'

Ik kijk haar vrolijk aan. 'Hier en nu,' zeg ik. 'Ik vind wel iets. Ga jij maar lekker douchen,' zeg ik. 'Ik verras je straks met een *dinner for two!*'

Ze kijkt me even ongelovig aan en sloft dan naar de badkamer.

Ik ga in de keuken aan de slag. Al die kookprogramma's die ik met tegenzin moet uitkijken omdat mama er een grote fan van is, werpen voor een keertje vruchten af!

Eva is sneller terug dan verwacht en bezorgt me een schok, en niet alleen omdat ik nog niet klaar ben met koken.

'Dag Pipi Langkous!' roep ik uit.

Eva draagt een legging en een topje in alle kleuren van de

regenboog. Haar haar zit in twee vlechten.

'Pipi Langkous is een ondeugend meisje,' antwoordt Eva.

En jij, hoe ondeugend ben jij, Eva?

Ze loopt naar de spiegel en bekijkt zichzelf.

'Je hebt gelijk.' Ze kijkt me aan in de spiegel. 'Dit past niet voor een intiem etentje.'

Intiem, Eva?

'Zo terug,' zegt ze.

Eva verdwijnt naar haar kamer, ik duik weer in mijn kookpotten.

Als Eva de woonkamer binnenkomt, ben ik net klaar met koken.

Ze heeft een jurkje aangetrokken, dat perfect om haar lichaam zit. Haar rode haar hangt over haar schouders. Haar ogen zijn oceaanblauw geschminkt.

Ik word helemaal week vanbinnen.

'Beter?' vraagt ze.

'Julia op het balkon,' hoor ik mezelf zeggen.

Eva schiet half in de lach.

'Ben jij mijn Romeo?' stapt ze meteen in haar rol. 'Kom je me bevrijden?'

'Ja, Julia, ik ben het, Romeo,' zeg ik theatraal. 'Ik zal je verlossen. Ik zal alles voor je doen. Voor jou, lieve Julia, verloochen ik mijn eigen naam!'

We giechelen, schateren maar opeens vallen we stil. We

denken allebei hetzelfde. David zou zijn naam nooit ver-
loochenen. Tenzij voor zijn allergrootste liefde: het voetbal? Belachelijk. Ik schud al die dwaze gedachten uit mijn
hoofd.

'Zullen we gewoon onszelf zijn?' zegt Eva.

Ik knik, maar mijn hart, ach, mijn arme hart.

Als een gentleman, trek ik een stoel achteruit en laat Eva
plaatsnemen. Ik loop naar de keuken en ben even later terug met twee borden dampende spaghetti.

'Spaghetti Bolognese!' roept Eva uit. 'Dat is toch geen cu-
linair hoogstandje!' voegt ze er lachend aan toe.

Ik steek een vermanend vingertje uit. 'Oordeel niet te
snel, dame,' zeg ik. 'Dit is niet zomaar spaghetti Bolognese.
Dit is spaghetti Bolognese à la Alex, bereid met mijn geheime ingrediënt.'

Eva buigt met gefronst voorhoofd over het bord en snuift
de geur op.

'Zeg, je hebt er toch geen verdovende middelen in ge-
mengd?' plaagt ze.

Alsof ik jou zou willen verdoven, denk ik bij mezelf, ik wil
je wakker en springlevend dicht bij mij.

'Waar zou ik die vandaan halen? Ik kom rechtstreeks van
de catwalk, *remember!*'

'Modellen zijn van alle markten thuis,' zegt Eva.

Ik voel me alleen bij jou thuis.

Ik giet onze glazen vol met bruisend water en ga tegenover

haar zitten.

'Om te blussen,' zeg ik als ik haar naar de volle glazen zie kijken.

Ze schrikt. 'Je hebt er toch geen flesje tabasco in gedaan, of pilipili of ander pikant spul waarvan je tegen het plafond stuitert!'

Ik schiet in de lach. 'Kom stuiterballetje,' zeg ik. 'Proef nu maar.'

Eva mengt de spaghetti met de saus, draait een paar slingers op haar vork en steekt ze, met een overdreven ongeruste blik, in haar mond. Ik wacht nederig op het oordeel van mijn dame.

'Dit is... heel speciaal,' zegt ze. 'En lekker.'

Ik slaak een zucht van opluchting en begin ook te eten.

'Dit wordt met elke hap lekkerder,' zegt Eva enthousiast.

Wacht maar tot het dessert, bedenk ik.

'Ik heb in mijn leven nog nooit zoveel spaghetti gegeten,' bekent Eva als we na afloop in de fauteuils gaan zitten.

'Wat is je geheime ingrediënt?'

'Dat kan ik niet verklappen,' antwoord ik.

'Waarom niet?' vraagt Eva sneu.

'Dan kan ik nooit meer voor je koken.'

'Toch wel!'

'Dan zal je het nooit meer zo lekker vinden.'

'Toch wel. Toe nou!'

Ik schud het hoofd. Ik smelt bijna onder Eva's smekende blik.

'Mag ik raden?' vraagt ze.

'Dat mag je gerust,' zeg ik. 'Maar je raadt het van je leven niet!'

Eva komt naast me zitten. Haar parfum betovert me, haar warmte bedwelmt me.

'Wedden? Als ik je geheime ingrediënt raad, dan...'

'... krijg je een kus van me!' hoor ik mezelf zeggen.

Ik treed uit mezelf. Ik zie mezelf bezig, ik hoor mezelf die woorden uitkramen. Ik voel me bang en opgewonden tegelijk.

'Een kus? Een echte kus?'

Eva beseft dat ik het meen. Als ze me afwijst, zal ik haar dat niet kwalijk nemen. Als ze weigert, weet ik eindelijk waar ik aan toe ben.

Er gebeurt echter niets, mijn lijf tintelt en mijn hart dreigt uit mijn borstkas te springen.

Wat kan mij dat geheime ingrediënt schelen? Wat kan mij die weddenschap schelen? Ik wil haar kussen. Ik ben gek. Stapelgek. Op haar.

Plotseling rinkelt haar telefoon. Ze had dat rotding toch afgezet?

Eva neemt haar mobieltje. 'David!' zegt ze als ze het nummer ziet.

'Je kunt maar beter antwoorden,' zeg ik meteen.

Eva knikt aarzelend.

'David... hallo!'

Ik wil opstaan, maar Eva gebaart me om te blijven zitten en maant me met haar vinger op haar mond aan om stil te zijn.

'Of ik Alex heb gezien?' herhaalt ze de vraag van David. 'Nee.'

Ik schrik. Daar gaan we weer.

'Of ik weet waar hij is? Die jongen heeft twee wedstrijden gespeeld, onvoorbereid. Die ligt nu gewoon te snurken als een otter.'

Ik wil dit niet horen. Ik wil niets meer horen.

'Dat het nog te vroeg is om te slapen? Misschien is hij gewoon naar het strand, weet ik veel.'

Ik staar naar een vlieg op het plafond. Ik zou een vlieg willen zijn, zeggen mensen wel eens, maar ik besef dat je dan wel eens dingen hoort en ziet die je liever niet wil horen of zien.

'Dat zal ik hem zeggen,' lijkt Eva het gesprek af te ronden.

'David,' zegt ze dan. 'Hoe is het gegaan met die club?'

Ik kan niet horen wat David zegt, en voor een keer speelt Eva niet voor papegaai.

'Dan laat ik je maar,' haakt ze plots in.

Geen lief afscheidswoordje. Geen kus van op een afstand.

Eva loopt naar het tafeltje en drinkt haar glas in één teug leeg.

'Hij vertelt me later wel hoe het met die club is afgelopen.'
Ik knik. We weten nu hoe de onderhandelingen zijn afge-
lopen.
'Waarom zoekt hij mij?' wil ik weten.
Eva haalt de schouders op. 'Dat heeft hij niet gezegd, alleen
dat hij je al de hele tijd probeert te bellen.'
'*Mijn* mobieltje staat uit,' zeg ik kalm.
Eva knikt. 'Ik ben vergeten die van mij uit te schakelen na
dat telefoontje met mijn moeder. Sorry.'
'Ach. Zal ik muntthee voor je maken?'
Muntthee werkt naar verluidt ontspannend en ik hoop dat
de spanning die nu in de kamer hangt erdoor verdwijnt.
'Raar maar waar,' zegt Eva. 'Ik heb absoluut geen trek in
muntthee.'
Waarin dan wel? Een glaasje rode wijn? Zachte muziek?
Romantiek?
'Water! Water alleen kan me redden!' roept Eva uit.
Doodmoe word ik hiervan.
'Hé, wacht eens even,' zegt ze terwijl ze haar glas vult. 'Ik
weet waarom ik zo'n dorst heb! Ik heb zo een geweldige
dorst omdat jij in die saus...'
In mijn fantasie, zijn onze lippen opeens maar één milli-
meter van elkaar meer verwijderd.
'... extra veel zout hebt gedaan!'
'Eva,' zeg ik terwijl ik mijn stem onder controle probeer te
houden, 'voor jou zou ik het zout uit de zee hebben ge-

haald, maar nee, dat is het dus niet.'

'Een bouillonblokje dan,' redeneert Eva hardop. 'Daar zit ook veel zout in.'

Ik laat alle romantische gedachten varen. Waarom ben ik over dat ingrediënt begonnen? Ik voel me als een voetballer die in de laatste seconden van de wedstrijd in eigen doel heeft geschoten. Stom, stom, stom.

'Er zijn niet eens bouillonblokjes,' mopper ik.

'Suiker, dat geeft ook dorst!'

Ik schud het hoofd.

'En toch zal ik erachter komen,' zegt Eva vastberaden. 'Al moet ik er de hele nacht over nadenken.'

Ik sta op. 'Dan laat ik je maar rustig nadenken,' zeg ik. Mijn stem klinkt een beetje bars. Ik kan mijn teleurstelling nauwelijks verbergen.

Eva lacht lief.

'Bedankt,' zegt ze, als we bij de deur staan. 'Het was heel... Je bent heel...'

Ik kijk haar verlangend aan. Nu of nooit! Nu of nooit! hamert het door mijn hoofd. Ik buig naar Eva toe, maar haar hand op mijn borst houdt me tegen.

'Niet doen... Het zou alles verpesten,' fluistert ze.

Ik heb het gevoel dat ik een natte dweil in mijn gezicht krijg. Ik ben Romeo niet, Eva is Julia niet, en dit is geen toneelstuk.

Eva geeft me een snelle kus op mijn wang en duwt me naar

buiten.

Op weg naar tante Mia's appartement, mik ik het plastic zakje waar mijn geheime ingrediënt in zat in een vuilnisbak.

Samen met mijn illusies.

17.

Bij de voordeur van de flat voel ik een hand op mijn schouder. Ik draai me met een ruk om, klaar om uit te halen naar mijn belager.

'David! Wat doe jij hier?' Ik voel mijn maag samentrekken.

'Ik zit al de hele avond op het bankje voor je appartement,' klinkt het. 'Ik heb je proberen te bellen.'

Mijn hart klopt in mijn keel.

'De hele avond?' vraag ik ongerust.

'Sinds zeven uur.'

Toen belde ik net bij Eva aan. Heeft hij me gezien? Is hij me gevolgd?

David strijkt met zijn handen over zijn armen. Het is fris, merk ik opeens.

'Laten we naar binnen gaan,' stel ik voor.

Als hij me in elkaar wil meppen, dan liever zonder ooggetuigen.

We lopen zwijgend naar binnen. Ik heb de indruk dat er in mijn hoofd een klok aftikt, verbonden met een bom, die ik mezelf heb omgebonden. Ik ben op zelfmoordmissie.

'Zal ik koffie maken? Of thee? Om je op te warmen,' stel ik voor als we binnen zijn. Ik vul alvast de waterkoker.

'Laat maar. Ik hoef niks,' zegt David.

Ik zet de waterkoker weer in de houder.

'We moeten praten,' zegt David terwijl hij zich op de sofa laat vallen en me uitnodigt om dat ook te doen.

Gespannen ga ik zitten. Het appartement lijkt plots een arena, en ik, een kleine gladiator, moet het opnemen tegen een kolos.

'Ik heb dat profcontract ondertekend,' begint David.

Ik knik.

'Ik ben blij voor je,' zeg ik schor.

David kijkt me onderzoekend aan. 'Echt?'

'Echt!'

En dat is niet eens gelogen, ik weet hoe belangrijk dit voor hem is en gun het hem van harte.

'Ik heb Eva gebeld,' gaat David verder.

Ik doe alsof mijn neus bloedt en veeg een pluisje van de sofa.

'Ik heb haar wijsgemaakt dat die onderhandelingen zwaarder waren en langer hebben geduurd dan verwacht en dat ik vanavond niet terug naar zee kwam.'

Op de hoek van het tafeltje ligt *Het gezelschap van leugenaars*. In dat boek raken de personages hoe langer hoe meer verstrikt in hun leugens en halve waarheden. Wij kunnen er met zijn drieën ook wat van.

Ik wacht af.

'Het was een leugen om bestwil.'

Daar weet ik alles van.

'Eva heeft jou blijkbaar ook niet gezien of gehoord,' zegt hij onverwacht.

Mijn keel voelt droog aan. Ik wou dat mijn neus echt begon te bloeden. Dan kon ik naar de badkamer vluchten. Ik heb niet eens zin om een excuus te bedenken.

'Kan ik vannacht hier slapen?' vraagt hij ineens.

Ik rol bijna van de sofa. 'Waarom?'

'Ik moet nadenken.'

'Waarover?' pols ik.

'Over... alles.'

Ook over de gevolgen van beslissingen die al genomen zijn? En over leugens die werden verteld?

'Zal ik dan toch maar thee maken?' stel ik voor.

DAVID is HIER, sms ik naar Eva als David even naar het toilet is.

18.

'Goed geslapen?' vraag ik als David de woonkamer binnenslentert. Hij ziet eruit alsof hij door een truck overreden werd.

Ik heb een dampende kop koffie in mijn handen. Kwestie van een beetje houvast te hebben. Ik heb nog niet in de spiegel gekeken. Ik heb de hele nacht liggen woelen en ben van ellende voor dag en dauw opgestaan. Ik ben al bij de bakker geweest voor ontbijtkoeken en brood.

'Geen oog dichtgedaan,' moppert David.

Join the club.

'Koffie?'

David knikt. Ik vul zijn kop tot aan de rand en bied hem ontbijtkoek, brood en cornflakes aan.

David neemt een kom, kiepert er een handvol ontbijtgranen in en giet er melk over. Ik adem langzaam in, terwijl ik toekijk hoe de granen wegzinken. Ik heb het gevoel dat ook wij langzaam wegzinken. In een stinkende poel!

'Bedankt voor het bed,' zegt David met schorre stem.

Ik haal de schouders op.

'Misschien had ik anders op die bank aan de overkant moeten slapen. De profvoetballer-clochard! Leuk onder-

werp voor een boek, mocht je ooit schrijver worden.'
David grinnikt.

Ik neem een hap van mijn ontbijtkoek en een slok koffie.
David slurpt aan zijn kop.

'We moeten praten,' zegt hij dan.

Het is alsof er elektriciteit door mijn aders gaat. Ik kan
prompt niet meer slikken en staar hem stom aan.

'Ik heb lang nagedacht en ik ben tot een schokkende con-
clusie gekomen,' begint David.

Ik wacht af.

'Alex, jij hebt altijd geweten hoe belangrijk voetbal voor
mij en voor mijn vader is.'

'Dat is helemaal geen nieuws,' zeg ik enigszins achterdochtig.

'Klopt. Maar, weet je, voetbal is nog veel belangrijker dan
ik dacht. Op dit ogenblik betekent het alles voor me.'

Ik kijk hem onderzoekend aan.

'In mijn hoofd is gewoon geen ruimte voor andere dingen.'

Ik houd mijn adem in.

'Ik ga breken met Eva,' zegt David.

Ik doe alsof ik verrast ben. Hypocriet en leugenaar, mijn
leven van de jongste dagen samengevat in een paar woorden.

David masseert zijn beide slapen. Hij ziet er doodmoe en
ellendig uit.

'Eva houdt niet van voetbal. Dat is haar recht, maar ik heb

iemand nodig die me steunt.'

'Ach,' probeer ik.

David schudt het hoofd. 'Eva is geweldig, maar mijn hart ligt bij het voetbal. Eva verdient beter. Ik zou er geen moeite mee hebben als ze snel iemand anders vindt. Iemand die bij haar past, iemand met wie ze kan praten... over boeken en theater bijvoorbeeld.'

David kijkt me aan, maar ik vertrek geen spier.

Hij weet natuurlijk niet dat deze Romeo gisteravond werd gevloerd met twee simpele woorden: 'Niet doen.'

Woorden kunnen doden.

'David, ik moet je ook iets bekennen,' stamel ik.

Ik moet open kaart spelen. Ik moet hem vertellen dat er niets is tussen Eva en mij. Dat er nooit iets geweest is en dat er nooit iets zal zijn. Ik wil schoon schip maken. Ik wil niet langer achter elke blik of uitspraak een valkuil, bedrog of verraad zien, niet langer opbranden uit angst dat David mij mijn gevoelens voor Eva verwijt. Wat moet moet!

David kijkt me vragend aan. Ik voel me klein en ellendig.

'Ik ga een tijd stoppen met voetballen.' De woorden zijn uitgesproken voor ik besef wat ik zeg. Waar komt dat nu weer vandaan? Waarom begin ik daar nu over?

David kijkt me verbaasd aan.

'Dat weet ik toch al. Is dat alles wat je kwijt wil? Je kunt me alles zeggen.'

De stilte die volgt weegt als lood.

Waarom krijg ik de waarheid niet over mijn lippen? Omdat ik niet kan verdragen dat er niets is tussen Eva en mij? Nooit iets zal zijn? In mijn hoofd raast een storm.

'Dat was het,' mompel ik ten slotte.

David zucht en knikkebolt. Hij lijkt tot in het diepste van mijn ziel te kijken.

Ik voel me wegzinken. Ik stik. Ik raak alles en iedereen kwijt, mezelf nog het meest.

'Hoe heb je gespeeld?' vraagt hij even later.

Voetbal, weer voetbal. Gelukkig weer voetbal!

'Jullie spelen morgen de finale.'

'Kom je kijken?'

'Ik vertrek vanavond. Tante Mia komt dit weekend.'

We nemen onhandig afscheid.

Hij heeft me niet in de val gelokt. David is een goede vriend. Ik ben een sukkel en een judas. Ik kan gewoon niet meer over de berg onuitgesproken gedachten en gevoelens heen.

Ik ga languit op mijn bed liggen. Door het open raam klinkt het gekir van tortelduiven. Tortelduiven blijven heel hun leven bij elkaar, bedenk ik.

19.

'Hoe was het aan zee?' vraagt Evelien als ze mijn kamer binnenkomt. Ik heb mijn rugzak net leeggehaald en sta tot mijn enkels in de vuile was.

'Goed,' lieg ik.

'En hoe was het met David en Eva?'

Hoe weet ze dat David en Eva aan zee waren? Van Britt natuurlijk.

'Het is uit tussen hen,' zeg ik.

'*Yes!* Ik win twintig euro!' juicht mijn zus.

Ik kijk haar verbijsterd aan.

'Ik heb met Britt gewed dat hun relatie de eerste vakantiemaand niet zou overleven,' legt ze uit.

Ik wist niet dat mijn zus telepathische gaven had.

'Boekenwurmen en theaterliefhebbers, die willen het toch knus en droog en gezellig houden terwijl voetballers dol zijn op wind en modder, regen en sneeuw.'

Slimme meid.

'Doe je dat vaak, wedden?' vraag ik. 'Mama en papa zullen het graag horen.'

'Je verklapt toch niets? Ik heb nog een weddenschap lopen met Britt.'

'Sinds wanneer ben jij gokverslaafd?' vraag ik.

'Ik heb gewed dat Eva binnen de maand samen is met... jou!'

Mijn mond valt open. Waar haalt ze het?

'Dat geld ben je kwijt. Eva en ik, dat wordt nooit wat.'

Evelien schudt haar haar naar achteren.

'Als je me nog eens een kaartje stuurt, waarvoor dank, zet er dan *mijn* naam op, en niet die van Eva!'

Ik word koud en warm van gêne als mijn zus de ansichtkaart onder mijn neus steekt.

'Zin om te wedden, broer?'

'Evelien!' zeg ik streng. 'Eva en ik, dat wordt nooit wat. Het kan gewoon niet.'

Mijn zus tuit haar lippen.

'Jij als voetballer zou toch moeten weten dat een wedstrijd soms gewonnen wordt in de extra tijd. Net op het moment dat iedereen de hoop op zege heeft opgegeven. Niet zo slap, broertje.'

'Ik ben gestopt met voetballen,' onderbreek ik haar.

Mijn zus kijkt me onderzoekend aan.

'Jammer dat ik daar geen weddenschap over gesloten heb,' zegt ze en ze loopt de kamer uit.

Ik laat me op bed vallen. Starend naar het plafond zie ik de afgelopen dagen terug. Ik beleef elke seconde opnieuw. Niet doen. Niet doen. Niet doen.

Het wordt dus niets.

Eva, ach, Eva.

Toen ik vertrok, zat Eva op een bankje bij het station.
Ik schraapte mijn keel en ging naast haar zitten.
Eva keek nauwelijks op. Haar gezicht was gezwollen van
het huilen.
'Het is uit met David.'
'Het spijt me,' mompelde ik.
Echt?
'Het zat eraan te komen.'
'Je hoeft jezelf niks te verwijten,' zei ik. 'Je hebt je best ge-
daan.'
'Is dat zo? Heb ik echt mijn best gedaan?' vroeg Eva.
Ik hield mijn gedachten voor mezelf.
'David zei dat je een tijd wil stoppen met voetballen,' zei
Eva dan.
Waarom had hij haar dat verteld? Wilde mijn vriend de
weg voor me vrijmaken? Energieverspilling!
'Het is tijd... voor andere dingen,' fluisterde ik.
We keken elkaar aan.
Ik wilde haar vastpakken. Knuffelen, zeggen dat alles wel
weer goed kwam. Dat ik er was. Voor haar.
Niet doen. Niet doen... klonk het in mijn hoofd.
'Eva, ik moet mijn trein halen. Veel sterkte,' stamelde ik.
Eva keek me verloren aan. Ze stond op en schonk me een
beverig lachje.

'Bedankt voor de voorbije dagen,' zei ze. 'Je bent een goede... vriend.'

Even legde ze haar hand op mijn wang en toen liep ze haastig weg.

Op een tak kropen twee tortelduiven dichter bij elkaar. Rotbeesten.

Ik sluit mijn ogen, ik wil mijn hoofd laten leeglopen. Eva vergeten. De kans dat er sneeuw valt tijdens een hittegolf is waarschijnlijk groter dan dat Eva en ik ooit samen zijn. Uitgeput val ik in slaap.

20.

Als ik de volgende middag wakker wordt, is het huis hol en leeg. Papa en mama zijn voor dag en dauw vertrokken voor een trip naar de Ardennen. Gisteravond aarzelden ze nog, maar ik kon hen overhalen toch te gaan. Ik heb behoefte aan wat ademruimte.

Evelien zit waarschijnlijk alweer bij Britt. Zal ze de weddenschap afblazen?

Ik stop een boterham met walgelijk veel chocoladepasta tussen de kiezen, mors een half glas melk eerst over de vloer en vervolgens over mezelf en duik ten slotte slaapdronken weer in bed.

Het gezelschap van leugenaars ligt op de grond naast het bed. Ik heb het uit. Het gezelschap is ten onder gegaan. Vooral aan zichzelf. Zo gaat dat met leugenaars. Natuurlijk.

Nog net niet in slaap, word ik opgeschrikt door het gezoem van mijn mobieltje. Ik strek mijn arm uit en neem op zonder te kijken wie er belt.

'*Hi*, Alex.'

Ik ben meteen klaarwakker.

'Eva!'

Ik kruip overeind in mijn bed. Hoe komt ze aan mijn nummer? David!

'Ik stoor toch niet?'

'Nee, nee. Tuurlijk niet.'

'Heb je plannen voor vanmiddag, Alex?'

Hoe zou ik plannen kunnen hebben, Eva.

'Niks, geen plannen.'

'Heb je zin om samen... niks te doen?'

Er gaat een stroomstoot door mijn lijf. Ik sla met mijn hoofd tegen het rugeinde van mijn bed. Dat wordt een bult. *Love hurts!*

'Over een uur op dat bankje aan de oever?' hoor ik.

'Oké.'

'Alex... nog iets,' zegt ze.

Waarom springt mijn hart bijna uit mijn borstkas?

'Chips met paprika,' fluistert Eva waarna ze haar telefoon meteen uitschakelt.

Er gaat een nog grotere stroomstoot door mijn lijf, maar ik ga niet dood, ik word er springlevend van.

Mijn oog valt op mijn boek. Ik kijk naar mijn telefoon. Geen leugens meer.

'Ik heb afgesproken met... Eva,' zeg ik als ik David hoor.

Even blijft het stil aan de andere kant.

'*Go for it!*' klinkt het dan.